JN119527

基礎から実践まで、例題で学ぶ

教本

Excel 演習 第3版

菊沢　正裕 [編著]
徳野　淳子

三恵社

第３版の序

　初版（2012 年）、第２版（2016 年）に続いて第３版を出すことになった。この間、Excel 2010 は Excel 2013、Excel 2016 とバージョンアップされたものの、Excel 2010 と Excel 2016 には大きな違いはない。本文の画面は Excel 2016 に準拠したが、若干の違いは脚注等で補足し Excel 2010 を使っている読者にも十分使えるよう配慮した。また、Windows 版と Mac 版、Excel2016 と Office365 によって多少機能やタブの表示に違いがある。本書は教科書としての使用を前提にしているので、表示の違い等については先生方のご指導をお願いしたい。

　今回は、物価の上昇で従来定価での増刷がかなわず、小部数出版で従来定価を維持するためカラー印刷がかなわずモノクロ印刷とした。そのために見づらくなることをお許し願いたい。印刷のための改定ではあるが、この機会にまだ残る軽微な訂正をほどこしている。

　改定を重ねてはいるが、まだ不十分なところがあると思われる。読者諸氏のご指摘と叱咤をお待ちしている。

著者を代表して

2020 年 3 月

はじめに

Excel（エクセル）はマイクロソフト社の商品名であり、表計算の代表的ソフトである。近年 Excel は、Word同様あらゆる分野に浸透し、だれもが使う道具となっている。Excel を仕事で使う場合に必ず習得しておくべき機能は、大別すると次の3つである。その第1は表とグラフの作成機能で、統計ソフトなどの入力データの作成や、その出力結果のグラフ化にも有効である。第2に、豊富な関数機能と統計量の分析機能である。そして、第3にデータベース機能とデータ集計機能（ピボットテーブル）である。

本書は、高等教育機関の一般教育（情報処理演習）の教本としての利用を想定し、15回の授業でこの3つの機能を習得できるようにまとめている。レッスンごとに、学習目標を明示し、知識とスキルを表にまとめ、右頁の例題を通してスキルを習得する構成とした。章末には、学習したスキルのうちどれを使うかを考えて処理する能力を養うための練習問題をおいた。最終章には発展学習を用意した。生物資源学部の実験データの評価を目的とするものであるが、統計学の演習としても有効であろう。使用するデータは、ネットからダウンロードできるようにした。生徒名や成績の点数などはすべて架空のものである。

Excelが使えるかどうかによってデータの処理能力には大きな差がでると考え、10数年前に情報処理演習の一つとしてExcel 演習を導入した。以降、マニュアルの利用、ネット上の参考書や情報検索の利用、学習支援システムによる教材閲覧など、工夫を重ねてきた。説明が簡単すぎると分からない、詳しすぎると読まない、耳学問では実力がつかない、習っているスキルは使えても試験ではどの機能を使うか分からない。そんな教授経験を重ねてできたのが本書である。Excelのマニュアル本ではなく、教本である。お間違えのないように、ご利用いただければ幸甚である。

著者を代表して

2012 年 8 月

目　次

付録　データ

例題等を学習する際、以下のサイトからデータをダウンロードして利用されたい。

http://www.sankeisha.com/excelenshu/exdl.html　（パスワードは奥付）

使用するシート名と適用問題は以下の通り。

シート名	適用問題
気象	例題 2-4, 例題 3-4, 練習 3-4, 練習 5-2, 練習 6-4, 練習 7-1
テレビ	練習 3-2
出席簿 1	練習 3-3
地球上の水	練習 3-5
出席簿 2	例題 4-1, 例題 4-2, 例題 6-1, 例題 6-2
タイピング	練習 4-1
体力測定	練習 2-1, 練習 4-2, 練習 4-6, 練習 5-1, 練習 6-3, 例題 7-3, 練習 7-3
漁獲高	練習 4-3
成績 1	例題 5-1, 例題 5-2, 例題 5-3, 例題 5-4
オンラインテスト	練習 5-3
成績 2	例題 6-3, 練習 6-1, 練習 7-2
会社	練習 6-2
コンビニ	例題 7-1, 例題 7-2
ビタミン B1 の定量	例題 8-2, 例題 8-3
ビタミン B1 の定量（繰り返し測定）	例題 8-4

利用方法は、data.xlsx を開き、利用するシート名を右クリックして現れるメニューの「移動またはコピー」を選び、「コピーを作成する」チェックボックスにチェックしておく。コピー先として、新しいブックか既存のブックを指定する。

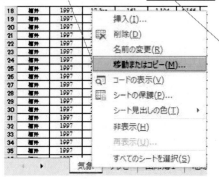
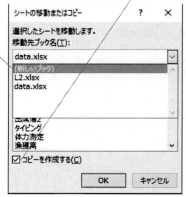

4

第１章　イントロダクション

Lesson1-1　Excel の基礎知識

学習目標

Excel の画面構成と各部の名称、基本的な操作方法を理解する。

知識とスキル

Excel の画面構成：Excel を起動すると、以下のような画面が表示される[A]。

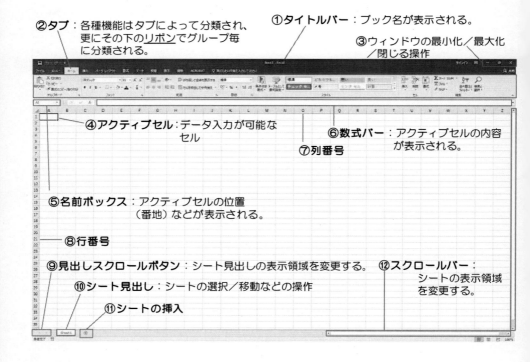

②**タブ**：各種機能はタブによって分類され、更にその下の<u>リボン</u>でグループ毎に分類される。

①**タイトルバー**：ブック名が表示される。

③**ウィンドウの最小化／最大化／閉じる操作**

④**アクティブセル**：データ入力が可能なセル

⑥**数式バー**：アクティブセルの内容が表示される。

⑦**列番号**

⑤**名前ボックス**：アクティブセルの位置（番地）などが表示される。

⑧**行番号**

⑨**見出しスクロールボタン**：シート見出しの表示領域を変更する。

⑩**シート見出し**：シートの選択／移動などの操作

⑪**シートの挿入**

⑫**スクロールバー**：シートの表示領域を変更する。

[A] ③についての注意

Excel2010 以前では、上段にウィンドウ全体の最小化/最大化ボタンが、下段に作業中のシートの最小化/最大化ボタンがある。下段の最小化ボタンを押すと作業中のシートが見えなくなる。元に戻すボタンを押すとシートウィンドウのサイズ次第でシート名が見えなくなる。何れの場合もシートの最大化ボタンを押す。

第1章

ブック	Excel で作成されたファイルをブック（**ワークブック**）という。
ブックの保存	「ファイル」タブから「名前を付けて保存」を選択し、「名前を付けて保存」の画面で保存先のフォルダとファイル名を指定して「保存」ボタンを押す。
拡張子	通常は拡張子 **.xlsx** がつく。Excel 2003 以前の拡張子 .xls と異なるので注意。ファイル形式を **.csv** にすると他のソフトで利用できる。（参照：63 ページ「外部データの利用」）
シート	1 つのブックには複数のシート（**ワークシート、グラフシート**）を作成することができる。シートは無制限に追加できるが、メモリの大きさに依存する。
シートの操作	• **選択**：見出しをクリックする。 • **シート名の変更**：見出しを右クリックし、メニューから「名前の変更」を選択して行う。 • **挿入／追加**：挿入ボタンをクリック Sheet1 ⊕ ← 挿入ボタン • **削除**：見出しを右クリックし、メニューから「削除」を選択する。
セル	シート上の行と列が交差する枠を**セル**という。1 つのシートは、たくさんのセルから構成される。シート
行番号 列番号 セル番地	には、行番号（上から 1, 2, …）と列番号（左から A, B, …）が振られ、その組み合わせでセルの位置（**セル番地**）を表す。
アクティブセル	Excel2016 では 1 つのシートは 1,048,576 行と 16,384 列からなり、行列が作るセルの数は約 1700 億である。1 つのセルには、32,767 の文字や数字が入る。データ入力可能なセルを**アクティブセル**という。
Excel の終了	ブック右上の「閉じる」ボタンをクリック、または、「ファイル」タブから「終了」を選択する。

例題 1-1

① Excel を起動して、L1.xlsx という名前のブックを作成する。
② Sheet1 を L1-1 という名前に変更する。
③ シートの追加や削除を適宜行う。

Lesson1-2　セル操作とデータ入力の基礎

学習目標

セル操作とデータの入力、編集の基本操作ができる。

知識とスキル

セルの選択	セルは、マウスや矢印キーで選ぶとアクティブになり、入力が可能になる。
セルの移動	データをセルに入力したあとアクティブセルを移動するには、下方向へは入力後 Enter キーを、右方向へは **Tab** キーを押す。逆に上方向／左方向へは、**Shift+Enter** キー／**Shift+Tab** キーを押す。 入力されたテーブル内のアクティブセルを移動するには、矢印キー（上下左右）のほうが便利である。
データの入力	セルには、文字列、数字、数式が入る。データを入力後、Enter キー、または Tab キーを押すと入力が確定され、アクティブセルが移動する。 セル内で改行して入力する場合は、**Alt + Enter** キーを押す。 ・**文字列の入力：** 　言語バーの入力モードに従って、日本語も入力できる。 ・**数字の入力：** 　セルに数字のみを入力した場合は、半角処理されるので、全角数字を入れても半角になる。 ・**日付の入力：** 　8/10 と入力すると、「8 月 10 日」と表示される。
データの編集	対象セルを選択後、**ダブルクリック**または **F2 キー**を押す。もしくは、数式バーの中で修正する。 ### と表示されるときはセルの幅を広げる。
セルのコピーと移動	セルを選び右クリックメニュー、または「ホーム」タブからコピー/切り取りを選択。コピー/移動先のセルをポイントしてから「貼り付け」ボタンを押す。 マウスでセル枠をポイントしてドラッグ（移動）、移動後 Ctrl キーを押しながらマウスを離す（コピー）操作も便利。

オートフィル	アクティブセルの右下隅をマウスでポイントして表示される＋マークを上下または左右にドラッグするとセルの値がコピーされる。これをオートフィルという。 　規則性をもつ連続データ（時刻、日、週、月、干支、曜日、数字を含む文字列）の場合、例えば「月」と「火」の２つのセルを選択して右下隅をドラッグすると、月火水木金土日月…と連続して入力できる。 　列方向にオートフィルする場合、セルの右下隅の ＋マークをダブルクリックすると左または右の列に値が入っている最終行までオートフィルされる。連続データの行数が多い場合は効果的である。
オートコンプリート	列に同じデータを繰り返し入力する場合、入力した最初の 1 文字から始まる項目名が入力候補として自動的に表示される。オプションで非機能化できる。（参照：27 ページ）
データの削除	対象セルを選択後、Delete キー、または右クリックの「**数値と値のクリア**」を選択する。値を消す「**クリア**」に対し、右クリックの「**削除**」はセル自体を削除し、上下左右のいずれかのセルを削除したセル位置に移動させる。削除したいセルの上に、近くの空白セルをオートフィルの要領でコピーすると白紙になる。クリアが元のセルの属性を残すのに対し、この操作は属性もコピーされる。

例題 1-2

★Excel は数字だけではなく、文字も入力できる

① ブック：L1.xlsx のシート：L1-1 につぎの表を作成する。このなかで、コピー、オートフィル、オートコンプリート、日付の入力機能を習得すること。

② セル幅が狭いときは、列表示（A, B, C,…）の左右の仕切りにマウスを移動し、ドラッグによって拡げる。7 行目の注釈のフォントサイズは 10pt、それ以外は 11pt とする。

Lesson1-3　複数のセル操作と書式設定

学習目標

セルを自由に扱い、Excel をワープロのように使うことができる。

知識とスキル

複数セルの選択	選択したいセル範囲の始点となるセルをクリックし、終点セルまでドラッグする。連続したセルを選択するには、始点を選択後に Shift キーを押しながら終点セルをクリックする。離れた位置の複数のセルを選択する場合は、Ctrl キーを使う。
セルの結合	連続する複数のセルを選択し、「ホーム」タブの「セルを結合して中央揃え」をクリックすると、1 つのセルにすることができる。
セルの書式設定	アクティブセルを右クリックし、サブメニューの「セルの書式設定」を選び「セルの書式設定」画面で詳細に設定する。フォントグループ右下隅をクリックしても同じ画面を表示する。 ●**表示形式**：標準、数値、通貨、日付、文字列等 12 の分類がある。 ●**配置**：文字の配置（横位置と縦位置）、方向（縦書指定はここで行う）、折り返し、を指定する。 ●**フォント**：Word のように文字書式を設定する。「ホーム」タブのツールバーで同様の操作が可能。 ●**罫線**：線種、色、箇所を指定する。プレビュー画面がある。 ●**塗りつぶし**：色、塗りつぶし効果、パターンを指定できる。 ●**保護**：セルをロックまたは数式を非表示にする。ただし、事前にワークシートを保護しておく（メニューの校閲 → 変更）

10

例題 1-3

★フォントおよびセルの書式設定

シート：L1-1 に作成した表を次のように加工する。

表 2000年度のオンラインテストの実施概要

テスト	実施日	教科書範囲	問題ストック数
オンライン1	10月9日	1章	50
オンライン2	11月10日	2章	50
オンライン3	12月15日	3章	50
オンライン4	1月9日	4章	50

注　出題数は毎回10問で各問1点、受験時間は90分、最大5回まで受験可能

① フォント：タイトルと項目は MS P ゴシック、それ以外の仮名・漢字は MS 明朝、半角
英数字は Times New Roman とする。
タイトル以外のセルを選択してフォントを MS 明朝に、続いて Times New Roman とする。

② フォントサイズ：タイトルは 10pt、表下の注は 8pt、それ以外は 9pt

③ 塗りつぶし：項目行を任意の色に塗りつぶす。

④ 配置：セルの縦位置は中央揃え、横位置は字下げ（オンライン1や実施日の 10 月 9 日）
と中央揃え（その他）とする。

⑤ 罫線：外枠を実線、内側を点線とする。まず、図の「セルの書式設定」画面の左側の線
のスタイルで細実線を選び、プリセットの「外枠」をクリックする。次に、細点線を選

び、プリセットの「内側」をクリ
ックする。最後に右側のプレビュ
ー画面で結果を確認して OK を押
す。

ポイント

- セルの縦位置の配置は、当初下詰め
になっている。

- 「セルの書式設定」画面は、セルを
選んで右クリックによるサブメニ
ュー、フォントグループのサブメニ
ュー、あるいは罫線ボタンのプルダ
ウンメニューの1番下の「その他の
罫線」で表示させる。

Lesson1-4　数値データの入力と四則演算

学習目標

- セルに簡単な数式（四則演算）を入れることができる。
- 数式は数式バーに、計算結果はセルに表示されることがわかる。
- 数式の中でセルを参照できる。
- 計算結果を様々な形式で表示できる。

知識とスキル

数値データ の入力	・全角数字を入れても半角になる。 ・セルの幅を超える桁数の数字を入力した場合は、自動的にセル幅が拡大する。 ・12 桁以上の数字を入力した場合は、1.23E+11 のような指数形式で表示される。（1.23E+11 は、1.23×（10 の 11 乗）を意味する。） ・分数は、先頭に 0 を付けスペースを空けてから分子の値／分母の値として入力する。		

数式の入力

- Excel では、セルに数式をいれて計算することができる。数式は、最初に半角の「=」（等号）をつける。「=」のあとに計算対象のセルを選び（セル参照という）、演算子を使って式をつくる。
- 四則演算の優先順位は数学と同じで、（ ）で括られた計算が最も高く、2 乗、掛け算と割り算、そして足し算と引き算の順になる。

演算	演算子
足し算	+
引き算	-
掛け算	*
割り算	/
2　乗	^2

数式バー	アクティブセルに数式を入力した場合は、数式バーに計算式が、アクティブセルに計算結果が表示される。

セルの表示 形式	「ホーム」タブの「数値」グループを利用することで、アクティブセルの数値データの表示形式を変更できる。

- **パーセントスタイル** %：パーセント表示に変更する。
- **小数点以下の桁数** ：小数点以下の表示桁数を増減する。
- **桁区切り** ：3 桁ごとに「カンマ(,)」を挿入する。
- **その他詳細設定**：「セルの書式設定」画面を使う。

例題 1-4（ステップ 1）

★数式の入力（式は「=」から始める）、セルの書式設定

① ブック：L1.xlsx に新たにシート：L1-2 を追加する。

② シート：L1-2 の適当なセルに以下の式を入力する。

③ 結果をそれぞれ指定された形式で表示する。

- 式：= 100 + 20 + 5　　　　　　　　結果の表示形式：125
- 式：= 16 ÷ 3 × 100　　　　　　　　結果の表示形式：533
- 式：= (171 − 100) × 0.009　　　　結果の表示形式：64%
- 式：= 22 × (160 / 100)^2　　　　　結果の表示形式：56.3
- 式：= 1250 - 1500　　　　　　　　　結果の表示形式：△250

  負の数の表示形式はセルの書式設定で色々選択できる。
- 文字　0123　を表示させる　　　　結果の表示形式：0123

  セルの書式設定で「文字列」設定後入力する。簡単には先頭に「'」を入力する。
- 分数　5 分の 3 を表示させる　　　結果の表示形式：3/5

  「0 3/5」と入力する。
- 日付 10 月 11 日（10/11）と入力する。　結果の表示形式：2020/10/11[B]

例題 1-4（ステップ 2）

★セル参照

① シート：L1-3 に右下の表を作成する。

② セル C2 に 160 を入力したのち、セル C3 に標準体重の計算式を入れる。標準体重の式は「= 22 × (身長/100)^2」とする。この場合、身長にあたる 160 を式中に直接入れるのではなく**セル C2 をクリック**する。これを**セル参照**という。

③ セル C3 に標準体重 56.32 と表示される。小数点 1 桁表示にする。

④ セル C2 に自分の身長を入れて標準体重を確かめよう。

ポイント

Excel では、セル C2 に身長の値を入れるとすぐに標準体重が計算され結果が表示される。Excel が**表計算ソフト**と言われる所以である。

	A	B	C
1			
2		身　　長(cm)	
3		標準体重(kg)	
4			

[B] 日付には入力した時点での年が自動的に挿入される。

章末問題

練習 1-1
① シート：E1-1 に今期履修の時間割をつくれ。
② 文字書式やセル書式を変更して、レイアウトを工夫せよ。
③ Excel のオプション設定から枠線を非表示にせよ。（参照：15 ページ）

練習 1-2 ★セル参照、エラー値：**#DIV/0!**
① シート：E1-2 の任意のセルに下の左側の表を作成せよ。
② BMI（体格指数：Body Mass Index）の計算式を情報検索で調べよ。
③ BMI の計算式をセル C4 に入れよ。その際、計算に必要な身長と体重の値は、それぞれ
   セル C2 とセル C3 を参照すること。また、各単位は①の表に従うこと。
④ BMI の計算式を入れると、**#DIV/0!** と表示される。#から始まる表示はエラー値である。
   BMI 値は体重を身長の 2 乗で割るが、身長の値が未入力の場合 0 とみなす結果、このよ
   うなエラー値が表示されることを覚えておこう。
⑤ セル C2 と C3 に自分の身長と体重の値を入れよ。エラー値が消え BMI 値が表示される。
   「セルの書式設定」から小数点 1 桁表示にしておく。
⑥ 右下の体格指数表をつくれ。
⑦ 自分の肥満度をチェックせよ。適当に体重の値を変え肥満度が標準になるときの体重を
   求めよ。

	A	B	C
1			
2		身長(cm)	
3		体重(kg)	
4		BMI(kg/m^2)	

肥満度	BMI
低体重	18.5未満
普通体重	18.5以上25未満
過体重	25以上30未満
肥満	30以上

ハイパーリンク

① 右のように「福井県立大学」と入力後、
セルを右クリックし、「ハイパーリンク」を選択、
ハイパーリンク挿入画面のアドレスに URL を入力する
とアンダーラインが付いてハイパーリンクが作成される。
それをクリックすると指定したアドレスに移動する。

①	福井県立大学
	福井県立大学
②	s101234@test.ac.jp
	s101234@test.ac.jp

② セルにメールアドレスを入力すると自動的にハイパーリンクが作成される。リンクが不
便なときは、アドレスのセルを右クリックし「ハイパーリンクの削除」で解除する。

第1章

Excel のオプション

メニューの「ファイル」タブのプルダウンメニューのオプションを選択して下のダイアログボックスの機能を使おう。ここではよく使う枠線非表示の操作をしてみよう。

* **枠線を非表示にする**

　シートの薄い灰色の枠線を見えなくするには、Excel のオプション画面の詳細設定で「枠線を表示する」のチェックボックスを外す。

* **その他**

　行列番号の非表示、計算結果の代わりに数式をセルに表示する、ゼロ値のセルにゼロを表示しない、シート見出しを非表示にするなど。

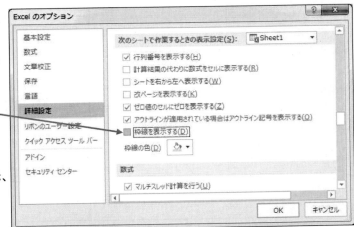

編集用の機能キー、コピーや移動のショートカットキー

機能キーと ショートカットキー	はたらき
F2	セル値の編集
F4	参照方法を変える（参照：Lesson2-3）
F7	カタカナに変換
F8	半角カタカナに変換
F9	全角英数字に変換
F10	半角英数字に変換
Ctrl + X Ctrl + V	セル内容の移動：セルを選択、Ctrl キーと X を押し、移動先セルをポイントして Ctrl キーと V で貼り付ける。
Ctrl + C Ctrl + V	セル内容のコピー：Ctrl キーと C を押し、コピー先セルをポイントして貼り付ける。

学習目標

　これまで学習してきた Excel の基本操作（セル操作やデータ入力、セルの書式設定や行列の表示形式の変更など）を使いこなしながら効率良く見やすい表を作成できる。

知識とスキル

様々な方法によるセルの選択	**表の選択** 　表の左上隅セルをポイントし、右下隅セルまでドラッグするか、Shiftキーを押しながら右下隅セルをクリックする。表が画面を超えて大きい場合は、表中の任意のセルをクリックしたのち Ctrl + A を押す。 **行／列単位でのセルの選択** 　行番号または列番号の上にマウスポインタをおき、ポインタの形が ➡（または ↓）に変わったタイミングでクリックし、前後にドラッグする。
行列の挿入	行を挿入する場合、挿入したい行をポイントし、右クリックメニューの「挿入」を選ぶと、ポイントしている行の上に 1 行挿入される。右のように 3 行選択しておき同様に「挿入」を選ぶと、その上に 3 行が挿入される。 　列の挿入は選択している列の左側に挿入される。
セルの挿入	セルをポイントし右クリックメニューの「セルの挿入」画面で、挿入に伴うアクティブセルの移動方向を選択する。「ホーム」タブの「セル」グループの「挿入」ボタンからも操作できる。

例題 2-1（ステップ1）　★オートフィル

① L2.xlsx という名前のブックとシート：L2-1 を作成し、下の表を入力する。
② セル B4 を選択し B9 までオートフィルでコピーする。

	A	B	C	D	E	F	G
1							
2		2016年度下半期地域別売上高(単位：百万円)					
3			東北	関東	近畿	九州	合計
4		10月					
5		11月					
6		12月					
7		1月					
8		2月					
9		3月					
10		売上目標					

例題 2-1（ステップ2）　★範囲指定とテンキーによる入力

① ステップ1で作成した表に、下の数値（売上高と売上目標）を入力する。
② セル C4 からセル F10 の範囲を選択し、テンキーを使って入力してみよう。

	A	B	C	D	E	F	G
1							
2		2016年度下半期地域別売上高(単位：百万円)					
3			東北	関東	近畿	九州	合計
4		10月	840	2030			
5		11月	870	1650			
6		12月	520				
7		1月	1510				
8		2月	550				
9		3月	1010				
10		売上目標	5000				

ポイント

- 範囲を選択して入力すると、Enter や Tab キーによる改行や改列がその範囲内で行える。
- 間違ってもマウスに触れず続けて入力し、すべてのデータを入力後に訂正する。
- 左手で Tab キーを使いながら横方向に移動しても、テンキーの Enter キーを使って縦方向に移動してもよい。

	A	B	C	D	E	F	G
1							
2		2016年度下半期地域別売上高(単位：百万円)					
3			東北	関東	近畿	九州	合計
4		10月	840	2030	1640	1210	
5		11月	870	1650	1220	710	
6		12月	520	1290	980	690	
7		1月	1510	2300	1820	1610	
8		2月	550	1150	820	700	
9		3月	1010	1480	1020	880	
10		売上目標	5000	10000	8000	6000	

知識とスキル

セルの削除	削除するセルを選び、右クリックメニューの「削除」から下の「削除」画面のオプションを選ぶ。クリア（データ消去）と違い、削除はセルを切り取るイメージ。よって周りのどのセルをシフトするかを指定する。「ホーム」タブの「セル」グループの「削除」ボタンでもよい。	
行列の非表示／再表示	大きな表で一時的に作業に不要な行列がある場合、それを非表示にすると便利。非表示にするには、非表示にしたい行（列）を選択し、右クリックメニューの「非表示」を選択する。非表示の行／列は印刷されない。再表示するには、非表示にした行（列）の上下（左右）のセルを選択し、右クリックメニューで「再表示」を選ぶ。	
行の高さ／列幅の変更	行／列番号の境界で表示されるポインタマーク ↕ , ↔ をドラッグすると自由に高さ/幅を変更できる。 　まとめて変更したい場合は、変更対象の行/列番号を選択し、右クリックメニューで「**行の高さ**」/「**列の幅**」を選び数字を入れる。	
行の高さ／列幅の最適幅	行の高さや列幅を最適にするには、対象の複数行または列を選択し、行番号または列番号にマウスをあてる。ポインタマーク ↕ , ↔ をダブルクリックすると、その行や列に入っている文字幅、文字高さにみあう高さや幅になる。	

例題 2-1（ステップ 3）

① ステップ 2 で作成した表の列 E をポイントし、右クリックメニューの「挿入」で項目「関東」と「近畿」の間に、列を挿入する。

② 項目「中部」とその数値を下のように入れる。

	A	B	C	D	E	F	G	H
1								
2		2016年度下半期地域別売上高（単位：百万円）						
3			東北	関東	中部	近畿	九州	合計
4		10月	840	2030	1480	1640	1210	
5		11月	870	1650	1050	1220	710	
6		12月	520	1290	920	980	690	
7		1月	1510	2300	1760	1820	1610	
8		2月	550	1150	980	820	700	
9		3月	1010	1480	910	1020	880	
10		売上目標	5000	10000	7000	8000	6000	
11								

例題 2-1（ステップ 4）

★セルの書式設定

ステップ 3 で作成した表を次の書式に変更する。

① タイトルを太字にし、表の幅（B 列から H 列）でセル結合・中央揃えにする。

② 項目（東北…、10 月…）を中央揃えにする。

③ 売上高の数字を通貨（コンマ形式）にする。

④ 行の高さを 15pt、列幅を 10pt とする。（全部を一度に変える）

⑤ セルの書式設定の「配置」で、縦位置が中央揃えになっていることを確認する。

⑥ 罫線（実線格子）を引く。

⑦ 「合計」の列を非表示にする。（G 列、I 列となり、H 列が非表示となっている）

	A	B	C	D	E	F	G	I
1								
2		**2016年度下半期地域別売上高（単位：百万円）**						
3			東北	関東	中部	近畿	九州	
4		10月	840	2,030	1,480	1,640	1,210	
5		11月	870	1,650	1,050	1,220	710	
6		12月	520	1,290	920	980	690	
7		1月	1,510	2,300	1,760	1,820	1,610	
8		2月	550	1,150	980	820	700	
9		3月	1,010	1,480	910	1,020	880	
10		売上目標	5,000	10,000	7,000	8,000	6,000	
11								

Lesson2-2　簡単な表計算

学習目標

合計関数やオートフィルを使いながら、表計算の基礎を理解する。

知識とスキル

合計関数	複数のセルに入力された数値データの合計を求める場合は、合計関数を使って計算する。「ホーム」タブの「編集」グループまたは「数式」タブから **Σ オート SUM** をクリックすると、合計の範囲が自動的に選択される。 　選択範囲が異なる場合は、選択範囲をマウスでドラッグして変更するか、数式バーを使って手動で修正する。
合計関数の引数	関数の（）の中で指定された値を**引数**という。合計関数は、引数として指定された数値を合計する。引数に、連続するセルを範囲指定するには、「:」を使い、離れたセルを指定するには、「,」を使って以下のように表記する。 • **SUM（A1:C5）**：セル A1 から C5 の全数値の合計を返す。 • **SUM（A1, B3, C5）**：セル A1, B3, C5 の各数値の合計を返す。
オートフィル	オートフィルは連続したセルに数式を入力する場合にも利用できる。（参照：Lesson1-2）
小数点以下の桁数の変更	「ホーム」タブの「数値」グループのボタン 🔢 または、「数値」グループ右下の 🔲 をクリック、「セルの書式設定」画面の「表示形式」で「数値」をクリック後、その右側の「小数点以下の桁数」テキストボックスで桁数を選ぶ。（参照：Lesson1-4）
シートの移動 / コピー	• **移動**：見出しを目的の位置までドラッグする。 • **コピー**：見出しを目的の位置までドラッグし、Ctrl キーを押しながらマウスを放す。または見出しを右クリックし、メニューの「移動またはコピー」を選択、「移動先ブック名」と「挿入先」を選択する。同じブック内でもできるが、他ブックへのコピーに有効である。

例題 2-2（ステップ 1）

① Lesson2-1 で作成したシート：L2-1 をコピーしてシート：L2-2 を作成する。

② 合計を再表示する。「売上目標」の行の上に「売上実績」のための行を挿入する。

	A	B	C	D	E	F	G	H
1								
2			2016年度下半期地域別売上高（単位：百万円）					
3			東北	関東	中部	近畿	九州	合計
4		10月	840	2,030	1,480	1,640	1,210	
5		11月	870	1,650	1,050	1,220	710	
6		12月	520	1,290	920	980	690	
7		1月	1,510	2,300	1,760	1,820	1,610	
8		2月	550	1,150	980	820	700	
9		3月	1,010	1,480	910	1,020	880	
10		売上実績						
11		売上目標	5,000	10,000	7,000	8,000	6,000	

例題 2-2（ステップ 2）

★ボタンΣオート SUM の利用

① 東北支店の 10 月〜3 月の合計を「売上実績」に、5 支店の 10 月の売上合計を「合計」に計算して求める。

② 他の支店の 10 月〜3 月の合計値と、5 支店の他の月の合計値はオートフィルで求める。

③ 数式バーで、関数式 =SUM( ) が使われていること、引数内の参照セルを確かめる。

例題 2-2（ステップ 3）

① 「売上目標」の行の下に、新たに「差額」、「達成率」の行を設ける。

② 東北支店の「差額」を「=売上実績 - 売上目標」、「達成率」を「=売上実績/売上目標」として計算する。「達成率」は小数点以下 2 桁で表す。

③ 東北支店の「差額」と「達成率」の両セルを選択し、右方向にオートフィルする。

ポイント

②の計算では、売上実績や売上目標の値を直接入力しない。対応するセルにマウスをおいてセル番地を「参照」すること。

	A	B	C	D	E	F	G	H
1								
2			2016年度下半期地域別売上高（単位：百万円）					
3			東北	関東	中部	近畿	九州	合計
4		10月	840	2,030	1,480	1,640	1,210	7,200
5		11月	870	1,650	1,050	1,220	710	5,500
6		12月	520	1,290	920	980	690	4,400
7		1月	1,510	2,300	1,760	1,820	1,610	9,000
8		2月	550	1,150	980	820	700	4,200
9		3月	1,010	1,480	910	1,020	880	5,300
10		売上実績	5,300	9,900	7,100	7,500	5,800	35,600
11		売上目標	5,000	10,000	7,000	8,000	6,000	36,000
12		差額	300	-100	100	-500	-200	-400
13		達成率	1.06	0.99	1.01	0.94	0.97	0.99

Lesson2-3　相対参照と絶対参照

学習目標

相対参照、絶対参照、複合参照の違いを理解して使うことができる。

知識とスキル

相対参照	相対参照は、参照するセルの位置をアクティブセルの位置から相対的に指定する。下のように、セル C1 に式（=A1+B1）を入力し、セル C3 までオートフィルでコピーする。このとき、C3 の数式が参照するセル番地が相対的に変わり、「=A3+B3」となる。

	A	B	C	D
1	1	10	11	=A1+B1
2	2	20	22	=A2+B2
3	3	30	33	=A3+B3
4				オートフィル

絶対参照	絶対参照は、数式内で参照するセル位置を行/列ともに固定して参照する。行番号や列番号を固定させるには、セル番地の行番号や列番号の前に「$」を付ける。（例：$B$1） セル C1 を C3 までオートフィルしたとき、数式内の B1 が B3 とならず、B1（$B$1）のままであることに注意する。

	A	B	C	D
1	1	10	11	=A1+$B$1
2	2	20	12	=A2+$B$1
3	3	30	13	=A3+$B$1
4				オートフィル

複合参照	複合参照は、行か列の一方を相対参照し、他方を固定する参照。 • **絶対行参照**：行だけを固定して参照する方法（例：A$1） • **絶対列参照**：列だけを固定して参照する方法（例：$A1）
F4 キー	絶対参照を行う時には、F4 キーを使うと便利である。セル番地を入力状態にして F4 キーを押すと、1 回押すごとに参照形式が次のように変わる。 A1（相対参照）→ $A$1（絶対参照）→ A$1（絶対行参照）→ $A1（絶対列参照）→ A1（相対参照）
オートフィル	参照：Lesson1-2

例題 2-3（ステップ1）

① Lesson2-2 で作成したシート：L2-2 をコピーしてシート：L2-3 とする。

② 表の「達成率」の行の下に「社内割合」の行を追加し、以下のように加工する。

③ 社内全体の「売上実績」の合計（セル H10 の値）に対する東北支店の「売上実績（セル C10 の値）」の割合を計算する式をセル C14 に入れ、パーセントで表示する。

	A	B	C	D	E	F	G	H
1								
2			2016年度下半期地域別売上高（単位：百万円）					
3			東北	関東	中部	近畿	九州	合計
4		10月	840	2,030	1,480	1,640	1,210	7,200
5		11月	870	1,650	1,050	1,220	710	5,500
6		12月	520	1,290	920	980	690	4,400
7		1月	1,510	2,300	1,760	1,820	1,610	9,000
8		2月	550	1,150	980	820	700	4,200
9		3月	1,010	1,480	910	1,020	880	5,300
10		売上実績	5,300	9,900	7,100	7,500	5,800	35,600
11		売上目標	5,000	10,000	7,000	8,000	6,000	36,000
12		差額	300	-100	100	-500	-200	-400
13		達成率	1.06	0.99	1.01	0.94	0.97	0.99
14		社内割合						

例題 2-3（ステップ2）

★絶対参照と複合参照

① 東北支店の「社内割合（セル C14）」をオートフィルして、他の支店の「社内割合」を求める。

② エラー値：#DIV/0! が表示される。なぜか、考えよう。

③ 売上実績の合計（セル H10）を絶対参照（または複合参照）してつぎの結果を得る。

	A	B	C	D	E	F	G	H
1								
2			2016年度下半期地域別売上高（単位：百万円）					
3			東北	関東	中部	近畿	九州	合計
4		10月	840	2,030	1,480	1,640	1,210	7,200
5		11月	870	1,650	1,050	1,220	710	5,500
6		12月	520	1,290	920	980	690	4,400
7		1月	1,510	2,300	1,760	1,820	1,610	9,000
8		2月	550	1,150	980	820	700	4,200
9		3月	1,010	1,480	910	1,020	880	5,300
10		売上実績	5,300	9,900	7,100	7,500	5,800	35,600
11		売上目標	5,000	10,000	7,000	8,000	6,000	36,000
12		差額	300	-100	100	-500	-200	-400
13		達成率	1.06	0.99	1.01	0.94	0.97	0.99
14		社内割合	15%	28%	20%	21%	16%	100%

Lesson2-4　印刷と表示

学習目標

印刷タイトルやヘッダーを設定できる。改ページプレビュー画面で改行位置を変えて印刷できる。ウィンドウ枠を固定して表示できる。

知識とスキル

印刷範囲	ワークシートの一部分だけを印刷する場合、該当部分のセル範囲を選択し、「**ページレイアウト**」タブの「印刷範囲」で設定する。グラフを選択すればグラフだけが印刷される。
印刷方法	「ファイル」タブの「印刷」を選択し、ページ指定する。右側の印刷プレビュー画面で確認後に印刷する。 拡大縮小、余白、ヘッダー・フッターは、設定画面の最下段の「**ページ設定**」をクリックして設定画面を指定する。余白の微調整は、プレビュー画面の右下隅の余白設定ボタンが便利。
改ページプレビュー	1つの表を複数のページに分けて印刷する時や、ページの切れ目を変更する時は「表示」タブの「改ページプレビュー」を使う。 まず、ページを分けたい部分にセルを移動し、「ページレイアウト」タブの「**改ページ**」ボタンから「改ページの挿入」を選択する。 「改ページプレビュー」においては、青色の線をドラッグしても改ページの位置を変えることができる。 改ページを解除するには「改ページの解除」を使う。
印刷タイトル	複数ページにわたるデータを表示するとき、特定の行や列をすべてのページに印刷する。ページ設定の「シート」タブを利用する。
ウィンドウ枠の固定	複数ページにわたるデータの先頭行や先頭列、任意の行と列を固定して表示するには、「表示」タブから「ウィンドウ枠の固定」を利用する。

例題 2-4（ステップ 1）

★ウィンドウ枠の固定

① 付録データのシート：「気象」をブック L2.xlsx にコピーする。（Lesson2-2 の知識とスキルの「シートのコピー」方法を使うこと）

② セル D2 をクリックし、「表示」→「ウィンドウ枠の固定」→「ウィンドウ枠の固定」のあと画面を上下左右にスクロールし 1 行目と C 列が固定表示されることを確かめる。

③ 「ウィンドウ枠の解除」を行う。

④ 「ウィンドウ枠の固定」→「先頭行を固定」を選択する。

例題 2-4（ステップ 2）

★印刷範囲の設定

① 印刷プレビュー画面を見ながら余白や拡大縮小率を変えてみる。

② ヘッダー（福井市の気象）、フッター（観測年 1997）をつける。

③ 印刷範囲を「観測地：福井」と「観測年：1997」に対し、「観測項目：気温、最高気温、最低気温、地温」を印刷範囲に設定する。

例題 2-4（ステップ 3）

★印刷タイトルの設定、改ページの設定

① タイトル行を先頭行、タイトル列を Julian day とする。（設定方法は下図を参照）

② 印刷範囲を「観測地：福井」に設定し印刷する。

③ 複数ページにわたるが、観測年（1997、1998、1999）では必ず改ページする。

④ プレビューでどのように印刷されるかを確かめる。

ポイント

　右に示す「ページ設定」のタブ：「シート」画面には便利な表示・印字機能がある。例えば、全てのページにタイトル行やタイトル列を表示・印字できる。また欄外にコメントを印字したり、枠線や行列番号を印字することができる。その他、「セルのエラー」の選択で、エラー値が出た時の印字を、「空白」、「--」、「#N/A」のいずれかにできる。

章末問題

練習 2-1

以下の処理をシート：E2-1 に行え。

① 付録データのシート：「体力測定」をコピーし、シート：E2-1 を作成する。

② 項目「番号」、「身長」、「体重」以外の列を削除せよ。

③ 「体重」の右列に項目「標準体重」と「平均体重との差」をつくれ。

④ 全員の体重の合計を人数で割って平均体重を求めよ。

⑤ 「番号」が 1 の「標準体重」（参照：例題 1-4 のステップ 2）を計算せよ。

⑥ 「番号」が 1 の「平均体重との差」を求めよ。その際、④で求めた平均体重のセルを複合参照すること。またセルの書式設定から、負の値を赤字で表示する。

⑦ 「番号」が 1 の「標準体重」と「平均体重との差」をオートフィルして全員の「標準体重」と「平均体重との差」を求めよ。

練習 2-2

★複合参照

以下の処理をシート：E2-2 に行え。

① 下の表のセル C5 に九九の計算式を入れよ。セルを着色する必要はない。

② セル C5 を下にオートフィルし、そのまま右にオートフィルして表を完成させよ。

ポイント

- オートフィルで正しい表ができない場合は、複合参照の方法が間違っている。
- $C5 は、C 列を絶対参照し、5 行を相対参照するという意味である。
- F4 キーを使って$マークをつける。

	A	B	C	D	E	F	G	H	I	J	K
1											
2		九九の計算表									
3											
4			1	2	3	4	5	6	7	8	9
5		1	1	2	3	4	5	6	7	8	9
6		2	2	4	6	8	10	12	14	16	18
7		3	3	6	9	12	15	18	21	24	27
8		4	4	8	12	16	20	24	28	32	36
9		5	5	10	15	20	25	30	35	40	45
10		6	6	12	18	24	30	36	42	48	54
11		7	7	14	21	28	35	42	49	56	63
12		8	8	16	24	32	40	48	56	64	72
13		9	9	18	27	36	45	54	63	72	81

ショートカットキー

ショートカットキー	はたらき
Ctrl + クリック	離れたセルの選択
Shift + クリック	連続したセルの選択（始点を選択後、Shift キーを押しながら終点セルをクリックする）
Alt + Enter	セル内の改行
Ctrl + C	コピーするセルを選択
Ctrl + X	移動するセルを選択
Ctrl + V	貼り付け
Ctrl + *	アクティブセルを含む表の全セルを選択
Ctrl + A	表中セルをポイントしていると表内全セルを選択（Ctrl + * と同じ）、表外セルを選択しているとシートの全セルを選択
Ctrl + S	ブックを保存する
Ctrl + Z	前の状態に戻す
Ctrl + →	シートの最右端に移動
Ctrl + ↓	シートの最下端に移動

復習

項目	操作や内容
範囲指定入力	Enter, Tab, Shift +Enter, Shift +Tab
セルの編集	ダブルクリック、数式バー、F2 キー
書式	表示形式、数値、日付、通貨、パーセント、文字列
セル操作	セル結合、文字の折り曲げ、セル内の改行
行列幅	行幅、列幅、その最適化
セルの内容の消去	Delete キーまたは右クリックのクリア
セル自体の削除	右クリックの削除、空白セルの上書きコピー
コメント	右クリックメニューから入力、編集、表示/非表示
オートフィル	複写、曜日、連番、週間、1 行おき、一括入力
オートコンプリートのオフ	ファイル→ オプション→ 詳細設定→ 編集設定→「オートコンプリートを使用する」のチェックをオフにする
シート	挿入、名前の変更、移動、複数シートの選択

第3章　グラフの作成

Lesson3-1　グラフ作成の基本操作

学習目標

グラフツールを使って簡単なグラフを作成し、グラフの移動やサイズを変更できる。

知識とスキル

グラフの 種類 グラフの 作成	縦棒／横棒、折れ線、円グラフ、散布図、レーダーチャートなど様々な種類のグラフを作成できる。まずデータを選択し、「挿入」タブの「グラフ」グループから好みの種類を選び、更にサブメニューで詳細なグラフの形式を選択する。Excel2013以降では、選択したデータに合った形式のグラフを自動的に表示してくれる「おすすめグラフ」機能もある。	
グラフの 選択	作成したグラフに対し、デザイン、レイアウト、書式の変更操作を行う場合は、グラフエリアの空白部分をクリックしてグラフを選択し、リボンにグラフツールを表示させる。	
グラフ ツール	グラフツールは「デザイン」と「書式」タブ（Excel2010ではこれに加え「レイアウト」タブ）から成る。各タブのボタンでグラフに様々な操作を行う。	
グラフサイ ズの変更	グラフを選択し、グラフエリアの枠線上にマウスポインタを重ね、ポインタの形が⟷ に変わったタイミングでドラッグして任意の大きさに変更する。このとき、Shift キーを押しながらドラッグするとグラフの縦横比が保持される。	
グラフの コピー/ 移動	同一シート、他シート、他ブックにグラフをコピー/移動するには、グラフを選択後、ホームタブのコピー/切り取りと、貼り付けを利用する。貼り付けで図を選ぶと、Excel グラフの機能はなくなり、画像となる。	
グラフ シート	「デザイン」タブの「グラフの移動」でグラフシートへ移動することや、グラフシートから任意のワークシートに戻すことができる。	

例題 3-1 (ステップ1)

① Lesson2-1 で作成したシート：L2-1 を新しいブックにコピーし、シート名を L3-1 に変更ののち、ファイル名を L3.xlsx としで保存する。

② 不要部分を削除して右の表を作る。

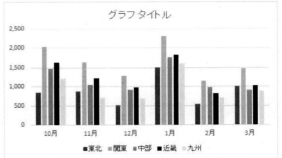

	東北	関東	中部	近畿	九州
2016年度下半期地域別売上高(単位：百万円)					
10月	840	2,030	1,480	1,640	1,210
11月	870	1,650	1,050	1,220	710
12月	520	1,290	920	980	690
1月	1,510	2,300	1,760	1,820	1,610
2月	550	1,150	980	820	700
3月	1,010	1,480	910	1,020	880

例題 3-1 (ステップ2)

★縦棒グラフの作成

① 表のデータをすべて選択し、「挿入」タブの「グラフ」グループから「2-D 縦棒」を選択する。右図のようなグラフが作成される[A]。

② グラフ要素をクリック、または「書式」タブの「現在の選択範囲」グループから「プロットエリア」、「グラフタイトル」「グラフエリア」、「横（項目）軸」、「縦（値）軸」、「縦（値）軸 目盛線」、「凡例」、「系列」の各要素を確かめる。

③ グラフエリアをポイントし、ドラックしながら適切な位置にグラフを移動する。

④ グラフに利用したデータが、表の上で３つのエリア（縦軸、横軸、値）に色分けされていることを確かめる。

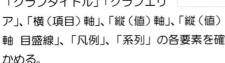

2016年度下半期地域別売上高(単位：百万円)					
	東北	関東	中部	近畿	九州
10月	840	2,030	1,480	1,640	1,210
11月	870	1,650	1,050	1,220	710
12月	520	1,290	920	980	690
1月	1,510	2,300	1,760	1,820	1,610
2月	550	1,150	980	820	700
3月	1,010	1,480	910	1,020	880

例題 3-1 (ステップ3)

① 縦横比を保持しながらグラフサイズを変更する。（Shift キーを押してドラッグ）

② 任意の大きさに変更し、また元に戻す。（Ctrl＋Z）

③ グラフをグラフシートに移動する。移動後元に戻す。

④ 同じシート内でグラフを複製する。（ドラッグしながら移動し、任意の位置で Ctrl キーを押し＋記号を確認後、マウスボタンを離す）

⑤ グラフを他のワークシートや Word ファイルにコピーする。

[A] Excel2010 では、グラフを挿入した直後は、グラフタイトルは挿入されず、凡例はプロットエリアの右側に表示される。

第3章

Lesson3-2　グラフの編集

学習目標

グラフのデザイン、レイアウト、書式を変更できる。

知識とスキル

グラフの デザイン	**グラフツール**の「デザイン」タブでは、以下の操作ができる。 ・**グラフ要素を追加**[B]：グラフのタイトル、軸ラベル、凡例、**データラベル**（グラフの要素に表示されるデータ値）の追加、削除、配置を行う。これと同じ操作は、グラフを選択した際に右横に表示される<u>「グラフ要素」ボタン</u>からも行うことができる。 ・**クイックレイアウト**[C]：グラフのタイトルや凡例の位置、軸の表示形式などレイアウト全体を変更する。 ・**色の変更**：グラフの色を変更する。 ・**グラフのスタイル**：グラフ全体のスタイルを変更する。同様の操作は、<u>「グラフスタイル」ボタン</u>からも行うことができる。 ・**行/列の切り替え**：軸のデータを入れ替える。 ・**データの選択**：グラフ化しているデータの範囲を変更する。 　（※詳細は Lesson3-3、Lesson3-4 で扱う。） ・**グラフの種類の変更**：作成したグラフを他の種類に変更する。 ・**グラフの移動**：Lesson3-1 参照

グラフ要素 の書式設定	グラフ要素（グラフエリア、プロットエリア、タイトル、軸、凡例などグラフの構成要素）の書式を変更する場合は、対象を選択した後、次のいずれかの方法で「書式設定」画面を表示させて変更する。 ・グラフツールの「書式」タブの「現在の選択範囲」グループからグラフ要素を選択し、「選択対象の書式設定」ボタンを押す。 ・グラフ要素をダブルクリックする。 ・グラフ要素を選択後、右クリックメニューの「～の書式設定」を選ぶ。

[B] Excel2010 の「レイアウト」タブに相当
[C] Excel2010 の「デザイン」タブの「グラフのレイアウト」に相当

例題 3-2（ステップ1）　★グラフツールの確認

① Lesson3-1 で作成したシート：L3-1 をコピーして、シート：L3-2 を作成する。

② グラフをポイント後、グラフツールの「デザイン」タブをクリック、「データ」グループのボタン「行／列の切り替え」で横軸（項目軸）と凡例が入れ替わる様子を確認する。

③ 同じ画面の「種類」、「レイアウト」、「スタイル」の各グループのボタンで、グラフの種類やレイアウト、スタイルを変更する。

④ 「書式」タブの「現在の選択範囲」グループ内の「選択対象の書式設定」をクリックして「書式設定」画面を表示させる。この状態でグラフ要素（プロットエリアや軸など）をポイントし、画面の項目が変わることを確かめる。

例題 3-2（ステップ2）　★グラフ要素の書式設定

右のようにステップ1のグラフを加工する[D]。

① グラフタイトルを「2016 年度下半期地域別売上高」（MS P ゴシック、サイズ 12pt）に設定する。

② 縦軸ラベル「百万円」をいれる。文字列の方向は「書式設定」の「配置」から変更できる。

③ 数字ラベル（月と売上高）を Times New Roman、サイズ 12pt とする。

④ 凡例とプロットエリアに枠線を付ける。

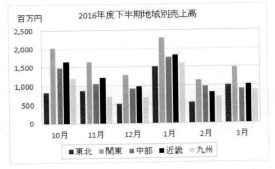

例題 3-2（ステップ3）

① ステップ 2 で作成したグラフを、同じシート内にコピーする。

② グラフ要素の書式を右のように変更する。グラフエリアとプロットエリアは任意の色に塗りつぶす。

③ Word にコピーする。

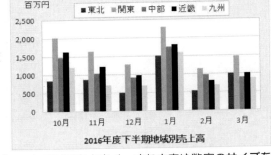

一口メモ

グラフエリアの枠線を「なし」に、プロットエリアを大きく、また文字や数字のサイズを大きめにすると、Word や PowerPoint で見栄えする。

D Excel2010 では、グラフタイトル、軸ラベルの設定はグラフツールの「レイアウト」タブから行う。

Lesson3-3　データの選択と軸の書式設定

学習目標
グラフが参照するデータや、グラフの軸の書式を変更できる。

知識とスキル

グラフの データ選択	「グラフエリア」をポイントすると表の範囲がアクティブになる。この範囲をマウスでドラッグして、横（項目）軸や凡例項目の範囲を変える（追加または削除する）ことができる。 **2016年度下半期地域別売上高（単位：百万円）** |	東北	関東	中部	近畿	九州
---	---	---	---	---	---
10月	840	2,030	1,480	1,640	1,210
11月	870	1,650	1,050	1,220	710
12月	520	1,290	920	980	690
1月	1,510	2,300	1,760	1,820	1,610
2月	550	1,150	980	820	700
3月	1,010	1,480	910	1,020	880	 ドラッグして範囲を変える
データ ソース の選択	「デザイン」タブの「データ」グループにある「データの選択」から「データソースの選択」画面を表示させる。 • **グラフデータの範囲**：グラフ化したいデータ範囲を指定する • **行/列の切り替え**：軸データを入れ替える • **横（項目）軸ラベル**：「編集」ボタンより、横軸ラベルのデータ範囲を変更する。 • **凡例項目（系列）**：凡例項目（データ系列）を「追加、編集、削除」する。「追加」は、Lesson3-4 参照。
軸の書式 設定	グラフの軸の目盛り間隔や最大値／最小値を変更する。 　軸を選択し、右クリックメニューまたは「書式」タブの「選択対象の書式設定」から「軸の書式設定」を起動して、「軸のオプション」で設定する。
グラフの 種類	「デザイン」タブの「グラフの種類の変更」ボタンでグラフの種類（縦棒・横棒・円・折れ線・面グラフ、散布図、レーダーチャート）を変える。

例題 3-3 (ステップ1)　★データの変更

① Lesson3-2 で作成したシート：L3-2 をコピーしてシート：L3-3 を作成する。

② グラフのプロットエリアをポイントし、アクティブになった表データの青線をドラッグして 1 月、2 月、3 月および東北、関東、中部に変更し、グラフを確かめたのち元に戻す。

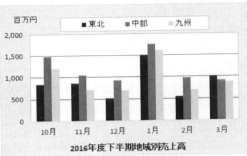

③ 「デザイン」タブの「データの選択」ボタンから「データソースの選択」画面を出す。凡例項目の削除ボタンで関東と近畿を削除する。

ポイント

- Lesson3-1 では、表のデータを全て選択してから①のグラフを作成したが、値データ（東北～九州）を選択してグラフを挿入後、「データソースの選択」画面で、「横（項目）軸ラベル」の「編集」から項目データ（月）を指定することでも同じグラフを作成できる。

- ③のグラフを最初から作るときは、Ctrl ボタンを押しながら項目データ（月）と値データ（東北、中部、九州）を選択して作成する。

例題 3-3 (ステップ2)　★軸の書式設定

① ステップ 1 の③で作成したグラフの縦（値）軸目盛の間隔を 400、補助目盛の間隔を 100、目盛のチックを交差にする。

② 縦（値）軸目盛線をポイント後、右クリックして削除する。

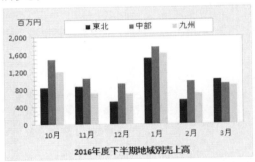

例題 3-3 (ステップ3)

★グラフの種類の変更

① グラフの種類を折れ線にする。

② 軸ラベルをポイントして右クリックメニューから、「目盛線の追加」、「補助目盛線の追加」を選択する。

③ PowerPoint の（背景色のある）スライドにコピーする。グラフエリアは「塗りつぶしなし」または、単色で透過性を 50%以上にしておく。

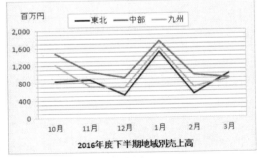

Lesson3-4　散布図

学習目標

散布図を描き、近似曲線を追加できる。2 系列のグラフを描くことができる。

知識とスキル

散布図	散布図は、統計データの2つの項目を縦軸と横軸にプロットした図である。 　描画するにはまず、「データ選択」アイコンで「**データソースの選択**」画面を起動し、凡例項目（系列）の追加ボタンを押下する。次に、「系列の編集」画面で系列名、系列 X（横軸）と系列 Y（縦軸）のデータをセル参照する。	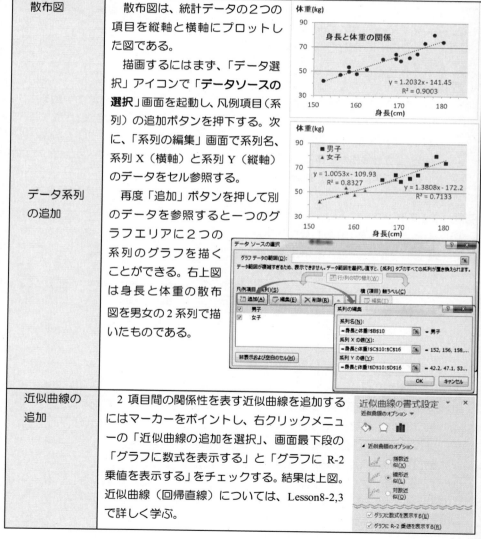
データ系列の追加	再度「追加」ボタンを押して別のデータを参照すると一つのグラフエリアに2つの系列のグラフを描くことができる。右上図は身長と体重の散布図を男女の2系列で描いたものである。	
近似曲線の追加	2 項目間の関係性を表す近似曲線を追加するにはマーカーをポイントし、右クリックメニューの「近似曲線の追加を選択」、画面最下段の「グラフに数式を表示する」と「グラフに R-2 乗値を表示する」をチェックする。結果は上図。近似曲線（回帰直線）については、Lesson8-2,3 で詳しく学ぶ。	

例題 3-4（ステップ1）

★散布図と近似曲線の追加

① ブック：L3.xlsx に付録データのシート：「気象」をコピーする。また新たにシート：L3-4 を作成する。

② シート：「気象」のデータ（福井、1997 年 6〜9 月）を参照して気温と地温の関係について散布図を作成する。

③ 記号をポイントして右クリックメニューの「近似曲線の追加」で、線形近似を選択する。また「グラフに数式を表示する」および「グラフに R-2 乗値を表示する」をチェックして、直線の数式と R^2 値を表示させる。

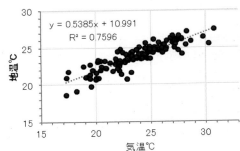

例題 3-4（ステップ2）

★2つのグラフを1つのグラフエリアに描く、

データ系列の書式設定

① 同じワークシートに、ステップ1の散布図をコピーする。

② コピーした散布図を選択後、「データソースの選択」画面の<空白の系列>をポイントしてから「編集」ボタンを押す。「系列の編集」画面の系列名を「福井 1997」と入力する。

③ 凡例項目に「福井 1997」の文字を確認する。同じ画面で「追加」ボタンをおす。

④ 系列名として「大野 1997」、X データには大野の 1997 年の 6〜9 月の気温を参照する。また、Y データとして地温のデータを参照する。

⑤ 大野のデータをポイントし、近似直線と R^2 値を表示する。

⑥ 右下図のようにマーカーの種類と塗りつぶし、近似曲線と軸数値のフォントを変える。近似式は、変数 x,y,R を斜体、数字は有効桁を 3 桁とし、見やすい配置にする。

⑦ 凡例を挿入し、マーカーの説明だけが見えるように調節する。

ポイント

マーカーの種類、サイズ、色を変更するには、「データ系列の書式設定」画面を使う。

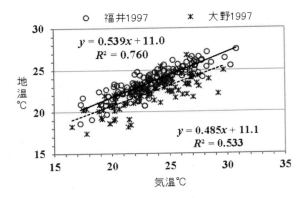

章末問題

練習 3-1　★グラフ要素の書式設定

Lesson3-2 で作成したグラフの要素を変更し、右に示すグラフに近くなるように加工する。フォントサイズはタイトル 12pt、それ以外 11pt。グラフタイトル、プロットエリアはグラデーション、グラフエリアは塗りつぶし、枠線とも「なし」とする。売り上げの高い関東だけ、データラベルの値をつける。（シート：E3-1）

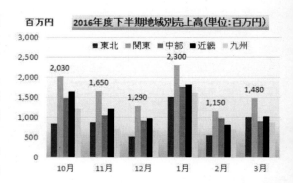

練習 3-2　★レーダーチャート

付録データのシート：「テレビ」は液晶テレビの各製品について 10 段階で満足度調査を行った結果である。これをコピーして、製品 A と製品 C を比較するマーカー付きレーダーチャートを作成せよ。軸ラベルは整数、目盛線は点線とする。マーカーの種類も「データ系列の書式設定」から変更すること。（シート：E3-2）

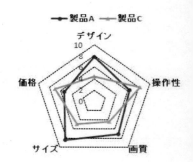

練習 3-3　★積み上げ縦棒グラフ、軸の書式設定

付録データのシート：「出席簿 1」を利用して、「出席回数」と「試験」の積み上げ縦棒グラフを作成せよ。項目名が和名の場合は、「軸の書式設定」の「配置」で縦書きにすると見やすい。棒幅は、データ系列の書式設定で「要素の間隔」を 50％にする。（シート：E3-3）

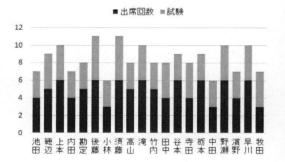

練習 3-4 ★折れ線グラフ

付録データ：「気象」を参照して、下のように 1999 年の鯖江における毎日の気温、最高気温、最低気温をマーカー付き折れ線グラフに描け。マーカーの種類も「データ系列の書式設定」から変更すること。項目軸は Julian day（1 月 1 日を 1 とする数字）とする。（シート：E3-4）

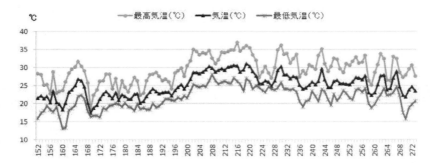

練習 3-5 ★補助縦棒付き円グラフ、データ系列の書式設定

地球上の水は海水と陸水に分かれ、陸水はさらに色々な形で存在する。付録データのシート：「地球上の水」をコピーして、補助縦棒付円グラフで描け。（シート：E3-5）

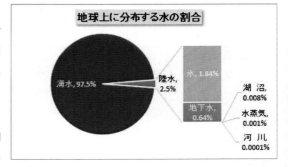

ヒント

- 系列 1 の「データ系列の書式設定」で「補助プロットの値」を 5 にする。
- データラベルを表示する。データラベルの書式設定の「ラベルオプション」で分類名を表示し、「その他」を「陸水, 2.5%」に変更する。
- グラフタイトルを追加し、データラベルの配置を見本のように変更する。

練習 3-6

式 $y=x^3+x^2+x+100$ のグラフを描け。

（シート：E3-6）

ヒント

x（0-15）に対する y の値を関数式で求め、両者の散布図（平滑線）を描く。

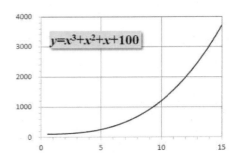

学習目標

関数の機能と使い方を理解し、よく使う基礎的な関数の利用方法を習得する。

知識とスキル

関数とは	データを使ってある処理を行い、結果を得る過程の「処理部分」を関数という。$f(x) = x^2 + 1$ を考える。この場合、x がデータ、$x^2 + 1$ が処理、$f(x)$ が関数および結果を表す。例えば、$x=5$ のとき、処理（$5^2 + 1$）の結果が 26 で、$f(5)=26$ となる。
Excel 関数	**合計関数**を例にすると、**=SUM（ ）**と表記する。関数は式なので最初に=をつける。SUM のあとの（ ）に入るデータを**引数**とよぶ。（ ）には通常参照するデータのあるセル番地が入る。
Excel 関数の使い方	数式バー横のボタン *f*x をクリックして「**関数の挿入**」画面を表示する。「**関数の分類**」から「すべて表示」を選択し、「関数名」から使用する関数を選択する。 「**関数の引数**」画面に、関数の機能が説明されている。また、「この関数のヘルプ」でより詳しい説明や使用例を参照できる。 テキストボックスには関数の引数を入れる。引数は、直接数値を入れるか、またはセルを参照する。関数処理の結果が画面の下に表示される。

例題 4-1（ステップ 1）

① 付録データのシート：「出席簿 2」を、新しいブックにコピーしてシート名を L4-1 に変更する。そのあと、ファイルを L4.xlsx という名前で保存する。

② 項目：「試験」の横に項目：「出席回数」と「得点」を作る。（右下図）

出席回数	得点
4	64

例題 4-1（ステップ 2）

★式をオートフィルする

① 合計関数を用いて、「生徒番号：03001」の出席回数を求める。出席回数は、「生徒番号：03001」の出席回数のセルをポイントし、**Σ オート SUM** ボタンをクリックする。「4/17」から「試験」までの範囲が参照されるので、参照範囲を正しく選択し直し、Enter を押す。右上のように出席回数 4 を得る。

② 1 回の出席点を 10 点、試験の点を 8 倍して「生徒番号：03001」の得点を計算し、得点 64 を得る。数式を入力する場合は、最初に「=（等号）」を入力する。

③ 右上図のように出席回数と得点を選択してオートフィルすると下図のようになる。オートフィルで入力したい連続データの行数が多い場合は、アクティブセルの右下に表示される+マークをドラッグするより、ダブルクリックする方が便利である。

	A	B	C	D	E	F	G	H	I	J	K	L	M
1	生徒番号	姓	名	性別	4/17	4/24	5/1	5/8	5/15	5/22	試験	出席回数	得点
2	03001	池田	由美	女	0	1	1	1	0	1	3	4	64
3	03002	磯辺	康子	女	1	1	1	1	1	0	4	5	82
4	03003	上本	弘美	女	1	1	1	1	1	1	4	6	92
5	03004	内田	智子	女	1	1	0	0	1	1	3	4	64
6	03005	川本	篤	男	1	1	1	1	1	1	3	6	74
7	03006	後藤	正晴	男	1	1	1	1	1	1	5	6	100
8	03007	小林	友美	女	1	0	0	1	1	0	3	3	54
9	03008	須藤	美絵	女	1	1	1	1	1	1	5	6	100
10	03009	高山	絵里	女	1	1	1	1	0	1	3	5	74
11	03010	滝	聡	男	1	1	1	1	1	1	4	6	92
12	03011	竹内	歩	女	1	1	0	1	1	1	3	5	74
13	03012	田中	早苗	女	1	0	0	1	1	1	4	4	72
14	03013	谷本	渉	女	1	1	1	1	1	1	4	6	84
15	03014	寺田	真由美	女	1	1	1	0	0	0	4	4	72
16	03015	栃本	睦	男	1	1	1	1	1	1	4	6	84
17	03016	中田	卓也	男	1	0	0	1	0	1	3	3	54
18	03017	野瀬	昌司	男	1	1	1	1	1	1	4	6	92
19	03018	浜野	伸	男	1	1	1	0	0	1	4	4	64
20	03019	早川	浩平	男	1	1	1	1	1	1	4	6	92
21	03020	牧田	淳子	女	0	0	1	1	0	1	4	3	62

知識とスキル

SUM( ) Σ	合計関数（参照：Lesson2-2）
CONCATENATE( )	引数は（文字列 A, 文字列 B）。**文字列 A と文字列 B を結合**する。引数には、通常文字列を直接入れず、セルを参照する。
COUNTA( )	引数で参照する範囲内の、空白でない**セルの個数**を返す。引数は数値や文字などすべてのデータ型が対象。
COUNT( )	引数で参照する範囲内の、数値を含む**セルの個数**を返す。文字を含むセルはカウントしない。
AVERAGE( )	引数で参照する範囲のセル値の**平均**を返す。セル範囲を参照するのが通例だが、直接数値を入れることもできる。
MAX( )	引数の範囲にあるセル値の中で、**最大値**を返す。
MIN( )	引数の範囲にあるセル値の中で、**最小値**を返す。

例題 4-1（ステップ 3）

★文字列の結合

① 右のように、項目：「名」の列の後ろに 1 列挿入し、新たにできる D 列の項目名を「氏名」とする。関数：CONCATENATE ( ) をセル D2 に適用して、生徒番号：「03001」の「氏名」を表示する。

	A	B	C	D	E	F	G
					D2		=CONCATENATE(B2,C2)
1	生徒番号	姓	名	氏名	性別	4/17	4/24
2	03001	池田	由美	池田由美	女	0	1
3	03002	磯辺	康子	磯辺康子	女	1	1
4	03003	上本	弘美	上本弘美	女	1	1

② オートフィルを使って、全生徒の氏名を表示する。

例題 4-1（ステップ 4）

★データの個数、最大値／最小値／平均の計算

① 空いたセルに右の表を作成する。

② 関数を用いて、「生徒数」、「最高点」、「最低点」、「平均点」を求める。ただし、平均点は小数点以下 1 桁まで表示する。

③ 正しく計算できれば、右の結果になる。

生徒数	最高点	最低点	平均点

	Q	R	S	T
4				
5	生徒数	最高点	最低点	平均点
6	20	100	54	77.3

一口メモ

右上図において、最高点（セル R6）を求めたあとセル T6 までコピーし、最低点と平均点を求めるセル S6 と T6 の関数名を数式バー内で変更すると効率が良い。参照する得点の番地は複合参照または絶対参照としておく。

関数の挿入

　「**関数の挿入**」画面では、右に示すように、関数が分類されている。第 4 章以降に学習する関数は、下の表のように分けられる。利用する関数の分類が分かっている場合は、「**関数の分類**」を指定してから探し出すと効率良く作業ができる。

　Excel には様々な関数が用意されている。右の画面の「関数の検索」や、興味ある分類の関数を選んでその機能を調べてみよう。以下に本書で学ぶ関数の一部を示す。

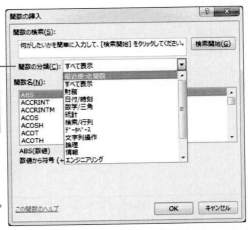

分類	関数	概要	参照
数 学 ／三角	SUM( )	合計関数	Lesson4-1
	SUMIF( )	条件を満たすセル値の合計	Lesson4-2
統計	COUNT( )	数値が含まれるセルの個数	Lesson4-1
	COUNTA( )	空白でないセルの個数	
	AVERAGE( )	平均	
	MAX( ), MIN( )	最大値、最小値	
	COUNTIF( )	条件を満たすセルの個数	Lesson4-2
	AVERAGEIF( )	条件を満たすセルの平均	
	STDEV.S( ),STDEV.P( )	標本標準偏差母標準偏差	Lesson5-2
	VAR.S( ),VAR.P( )	標本分散、母分散	
	FREQUENCY( )	度数分布	Lesson5-4
文字列	CONCATENATE( )	文字列の結合	Lesson4-1
論理	IF( )	条件を満たすか否かに応じて、指定された処理を実施	Lesson4-2
検索/行列	LOOKUP( )	一行または一列で構成されるセル範囲を検索	Lesson4-3
	VLOOKUP( )	指定されたセル範囲の一列目のデータを検索	
	HLOOKUP( )	指定されたセル範囲の一行目のデータを検索	
データベース	DCOUNTA( )	条件を満たすレコードの中の空白でないセルの個数を返す	Lesson6-3

第 4 章

Lesson4-2 条件関数

学習目標
　セルの値が条件を満たすか否かによって異なる処理を行う、あるいは条件を満たすセル値を対象に処理を行う「条件関数」のいくつかの機能と使い方を習得する。

知識とスキル

IF( )	条件（論理式）を満たすか否か（真か偽か）に応じて指定された処理をする。引数の中の形式は一般に（条件, 真の場合の処理, 偽の場合の処理）である。論理式に使用される**比較演算子**を以下に示す。

= IF(C2 < 60, A, B)では、セル C2 の値が 60 より小さいなら処理 A を実行し、60 以上なら処理 B を実行する。

比較演算	演算子	内容
等号	=	左辺と右辺が等しい
不等号	<>	左辺と右辺が等しくない
～より大きい	>	左辺が右辺よりも大きい
～より小さい ～未満	<	左辺が右辺よりも小さい
～以上	>=	左辺が右辺以上である
～以下	<=	左辺が右辺以下である

IFS( )[A]	IF( )の複数条件分岐に対応する。引数は（条件 1, 条件 1 が真の場合の処理, [条件 2, 条件 2 が真の場合の処理] , …）
COUNTIF( ) COUNTIFS( )	指定された「範囲」に含まれるセルのうち、「検索条件」を満たす**セルの個数**を返す。複数条件には COUNTIFS( )を使用する。
SUMIF( ) SUMIFS( )[B]	指定された「範囲」から「検索条件」を満たすセルを検索し、そのレコード（行）のうち「合計範囲」で指定する項目（列）のセル値を合計して返す。複数条件には SUMIFS( )を使用する。
AVERAGEIF( ) AVERAGEIFS( )	指定された「範囲」から「検索条件」を満たすセルを検索し、そのレコード（行）のうち「平均対象範囲」で指定する項目（列）のセル値の**平均**を返す。複数条件には AVERAGEIFS( )を使用する。
条件付き書式	「**条件付き書式**」は、ある範囲のセルを対象に、条件を満たすセルやフォントの色を変え、重要なセルや例外的な値を強調表示する。サブメニューの「新しいルール」では詳細な条件を指定できる。「**ルールの管理**」では複数のルールを扱い、「ルールのクリア」で設定を解除する。

[A] 2020 年 2 月現在、Office2019 または、Office365 を契約している Office2016 でのみ利用可
[B] SUMIF( )と SUMIFS( )では、引数の指定の仕方が異なるので注意。AVERAGEIF( )と AVERAGEIFS( )も同様

例題 4-2（ステップ1）

★条件関数：IF( )

① シート：L4-1 をコピーして L4-2 とする。項目：「得点」の横に項目：「評価」を追加する。

② 「生徒番号：03001」の「評価」のセルに、関数：IF( ) を適用し、60 点未満のとき文字 D を表示し、それ以外（60 点以上）のとき文字 C を表示する。

<u>ポイント</u>

文字 D は、"D"とする。" " は文字列を表す。「関数の挿入」画面では、テキストボックスに D を入れると、自動的に"D"と修正される。これに対し、数式バーに直接関数式を入力するときは、" " を忘れずに入れること。

③ ②のセルを「生徒番号：03020」までオートフィルして、全生徒の「評価」を求める。右の結果になる。

▲	A	D	E	L	M	N	O
1	生徒番号	氏名	性別	試験	出席回数	得点	評価
2	03001	池田由美	女	3	4	64	C
3	03002	磯辺康子	女	4	5	82	C
4	03003	上本弘美	女	4	6	92	C
5	03004	内田智子	女	3	4	64	C
6	03005	川本 篤	男	3	5	74	C
7	03006	後藤正晴	男	5	6	100	C
8	03007	小林友美	女	3	3	54	D
9	03008	須藤美絵	女	5	6	100	C
10	03009	高山絵里	女	3	5	74	C
11	03010	滝 聡	男	4	6	92	C
12	03011	竹内 歩	女	3	5	74	C
13	03012	田中早苗	女	4	4	72	C
14	03013	谷本 渉	男	3	6	84	C
15	03014	寺田真由美	女	4	4	72	C
16	03015	栃本 睦	男	3	6	84	C
17	03016	中田卓也	男	3	3	54	D
18	03017	野瀬昌司	男	4	6	92	C
19	03018	浜野 伸	男	3	4	64	C
20	03019	早川浩平	男	4	6	92	C
21	03020	牧田淳子	女	4	3	62	C

<u>一口メモ</u>

シート： L4-2 で毎週の開講日と、「姓」と「名」を非表示にすると見やすい。非表示にする列を選択し、右クリックメニューの「非表示」を選ぶ。（参照：18 ページ）

▲	Q	R
8		
9	評価	人数
10	C	18
11	D	2

例題 4-2（ステップ2） [c]

★条件関数：COUNTIF( )、COUNTIFS( )

① シート：L4-2 の空きスペースに、右の表を作成する。

② 右表において、セル R10 を選択し、関数：COUNTIF( )を入力して、「評価：C」の人数を求める。このとき、引数の範囲として、ステップ 1 で求めた「評価」の値を絶対参照し、検索条件としてセル Q10 を参照する。

③ ②で入力したセル R10 を R11 にコピーして、「評価：D」の人数を求める。（関数が正しく入力できれば、「評価：C」の人数は 18、「評価：D」の人数は 2 となる。）

④ 出席回数が 4 以上で「評価：C」の人数を COUNTIFS( )を使って求めよ。

---

[c] 例題 4-2（ステップ 2）～（ステップ 5）の各操作は見本の図のセル番地に従うが、これと異なる場所に表を作成した場合は、適宜セル番地を読み替えること。

例題 4-2（ステップ 3）

★条件関数：IF( )の複数分岐[D]

① 評価をA,B,C,Dの4レベルにする。

② まず条件（論理式）は、60 点より小さいか否かに対して、真の場合に D（自動的に文字型を表す "D" となる）を入れ、偽の場合のテキストボックスをポイントしたのち、名前ボックスのIF を選択すると再び、IF 関数の引数入力画面が出る。

③ 改めて条件が、70 点より小さいか否かに対して、真の場合に C とし、偽の場合のテキストボックスをポイントしたのち名前ボックスの IF を選択する。

④ 改めて 80 点より小さいか否かに対して真の場合を B、そして偽の場合 A とする。

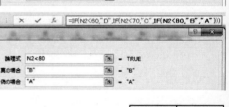

⑤ ステップ 2 の評価と人数の表を拡張し、評価 A～D に対する人数を計算する。まず、A の人数を求めたのちオートフィルで評価 B、C、D の人数を求めると右の結果を得る。

評価	人数
A	9
B	5
C	4
D	2

例題 4-2（ステップ 4）

★条件関数：COUNTIF()、SUMIF ( )

① シート：L4-2 の空きスペースに下の表を作成する。

	Q 性別	R 人数	S 合計点	T 平均点1	U 平均点2
16	性別	人数	合計点	平均点1	平均点2
17	男				
18	女				

② ステップ 2 と同じ方法で関数：COUNTIF( )を用いて、男性の人数をセル R17 に入力する。その際、関数：COUNTIF( )の引数の範囲をステップ 1 の表の「性別」のデータ、検索条件をセル Q17 とする。

③ 男性の合計得点を関数：SUMIF( )を用いてセル S17 に求める。関数：SUMIF( )の引数の範囲をステップ 1 の表の「性別」のデータ、検索条件を Q17、合計範囲を「得点」データとする。

[D] p.42 の関数：IFS( )は、Excel のバージョンによっては利用できない為、ここでは、関数：IF( )を使った複数条件分岐の方法を学習する。

例題 4-2（ステップ5）

★平均を求める関数：AVERAGEIF( )、AVERAGEIFS( )

① セル T17 に式（=合計点÷人数）を入れ、男性の平均点 1 を求める。

② セル U17 に関数：AVERAGEIF( ) を入れ、男性の平均点 2 を求める。ここで、引数の範囲をステップ 1 の表の「性別」のデータ、条件をセル Q17、平均対象範囲をステップ 1 の表の「得点」のデータとする。セル Q17 以外は絶対参照とする。

③ セル R17 からセル U17 を選択し、18 行目までオートフィルして表を完成する。

④ 平均点 1 と平均点 2 が同じ結果であることを確認する。

⑤ ステップ 4～5 が正しく操作出来ていれば、右の表の結果になる。

	Q	R	S	T	U
16	性別	人数	合計点	平均点1	平均点2
17	男	8	652	81.5	81.5
18	女	12	894	74.5	74.5

⑥ 出席回数が 4 以上の男子の平均点を求めよ。

ポイント

- ③のオートフィルは、「性別データ」などを適宜絶対参照しないと有効に機能しない。
- ⑥は複数の条件に対する平均操作なので AVERAGEIFS( )を使う。

例題 4-2（ステップ6）

★条件付き書式

以下の手順で、条件付き書式を用いてシート：L4-2 の項目：「評価」の値が D のセルを黄色に、フォントを赤色にする。

① 項目「評価」のすべてのセルを選択する。

② 「条件付き書式」のサブメニューの「新しいルール」で「指定の値を含むセルだけを書式設定」を選択する。

	A	D	E	L	M	N	O
1	生徒番号	氏名	性別	試験	出席回数	得点	評価
2	03001	池田由美	女	3	4	64	C
3	03002	磯辺康子	女	4	5	82	A
4	03003	上本弘美	女	4	6	92	A
5	03004	内田智子	女	3	4	64	C
6	03005	川本 篤	男	3	5	74	B
7	03006	後藤正晴	男	5	6	100	A
8	03007	小林友美	女	3	3	54	D
9	03008	須藤美絵	女	5	6	100	A
10	03009	高山絵里	女	3	5	74	B
11	03010	滝 聡	男	4	6	92	A
12	03011	竹内 歩	女	3	5	74	B
13	03012	田中早苗	女	4	4	72	B
14	03013	谷本 渉	女	3	6	84	A
15	03014	寺田真由美	女	4	4	72	B
16	03015	栃本 睦	男	3	6	84	A
17	03016	中田卓也	男	3	3	54	D
18	03017	野瀬昌司	男	4	6	92	A
19	03018	浜野 伸	男	3	4	64	C
20	03019	早川浩平	男	4	6	92	A
21	03020	牧田淳子	女	4	3	62	C

③ セルの条件（セルの値が次の値に等しい）を選び、右のテキストボックスに D を入れる。

④ 書式ボタンを押し、「フォント」タブと「塗りつぶし」タブで色を選ぶと上に示す表のような結果を得る。

Lesson4-3　検索関数

学習目標

検索値に対応するデータ（検索結果）を表示する検索関数の機能と使い方を習得する。

知識とスキル

LOOKUP( )	1 行または 1 列のみで構成されるセル範囲を検索し、対応する値を返す。 「関数の挿入」画面から LOOKUP を選択すると、右に示す「引数の選択」画面が表示される。引数（検査値，検査範囲，対応範囲）が選択されている状態で OK を押し、続いて下の「関数の引数」画面において各引数を入力する。詳細は以下の通り。 • **検査値（検索値）**[E]：数値、文字列、論理値およびそれらを参照するセル番地を指定する。 • **検査範囲**：検査値を含むセル範囲。1 行または 1 列の**昇順配置**されている文字列や数値。 • **対応範囲**：求める値を含むセル範囲。 検査値が見つからない場合は、検査範囲内で検査値以下の最大値を返す。
関数の分類	「関数の挿入」画面には、関数の分類の選択ボックスがある。その「検索/行列」から選ぶと効率がよい。

[E] 後述する VLOOKUP や HLOOKUP では、「検査値」ではなく「検索値」と表記されているが、いずれも同じものを指す。本書では全般に「検索値」を使う。

例題 4-3（ステップ1）^F

★検索関数：LOOKUP( )

① ブック：L4.xlsx に新しいシート：L4-3 を設け、下の 2 つの表を作る。

	A	B	C	D	E
1	成績評価表			検索表	
2	記号	評価内容		検索値	LOOKUP
3	A	優です		B	
4	B	良です		D	
5	C	可です			
6	D	不可残念でした			

② 検索表（上図右）のセル E3 に LOOKUP 関数を適用し、同セルに「良です」と表示させる。LOOKUP 関数の引数の検索値をセル D3、検索範囲をセル A3～A6、対応範囲をセル B3～B6 とする。検索範囲と対応範囲の参照を、絶対（または複合）参照する。

	D	E
1	検索表	
2	検索値	LOOKUP
3	B	良です
4	D	不可残念でした
5		

③ セル E3 をセル E4 にオートフィルすると右のようになる。

④ セル E4 を E5 までオートフィルすると、右のようにセル E5 に#N/A（エラー値）が表示される。

⑤ セル D5 に検索値（A～D）の値を入れると#N/A に代わり対応値が表示される。

	D	E
1	検索表	
2	検索値	LOOKUP
3	B	良です
4	D	不可残念でした
5		#N/A

一口メモ

　④のエラー値（#N/A）は、関数：IF( )を使って回避できる。すなわち、関数：LOOKUP( )を入れるセル E5 に IF 関数（セル D5 に検索値が入っていないときはセル E5 に空白を入れる処理を行い、そうでないときは検索処理を行う）を適用する。

　具体的には、「= IF(D5="", "", LOOKUP(D5, A$3:B$6, B3:B$6))」を入れる。関数の引数画面は以下のようになる。

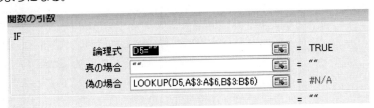

知識とスキル

VLOOKUP( )	引数（検索値，範囲，**列番号**，検索方法）で指定する「範囲」の 1 列目で指定した「検索値」を検索し、合致した行と「列番号」で指定した列が交差するセルの値を返す。引数の詳細は以下の通り。
	• **検索値**：数値、文字列、論理値、それらを参照するセル番地
	• **範囲**：検索値を含むテーブルを参照する
	• **列番号**：検索値に対する出力列の番号（テーブルの左端から数えた列数。左端の列を 1 とし、次の列を 2 として指定する。）
	• **検索方法**：
	  – TRUE（または T か省略）：近似値を含めて検索する。範囲の左端列の値を**昇順にしておく**必要がある。完全に一致する値が見つからないときは、検索値未満で最も大きい値を返す。
	  – FALSE（または F か 0）：完全に一致する場合に値を返す。見つからないときは、エラー値：#N/A を返す。範囲の左端列を**昇順にする必要はない。**

HLOOKUP( )	関数：VLOOKUP( ) と同じ機能であるが、先頭行が検索項目になっている（横長の）テーブルに適用される。 引数（検索値，範囲，**行番号**，検索方法）で指定する「範囲」の先頭行で特定の値を検索し、合致した列と「行番号」で指定した行が交差するセルの値を返す。行番号には、テーブルの一番上の行を 1 とし、そこから数えた行数を指定する。
VLOOKUP( )と HLOOKUP( )の 特徴	• LOOKUP( ) のように検索範囲の列（行）をセル番地の参照ではなく、列番号（行番号）で指定する。番号を数えるのが面倒に思えるが、後に表の項目を変更したときにも、対象の行や列を再選択することはなく、必要に応じて列番号（行番号）の数字を変えるだけでよいので便利である。この番号で与える方法は、Excel VBA（参照：74 ページの「マクロと Excel VBA」）などプログラミングでは有利に機能する。 • LOOKUP( ) ができない完全一致の検索ができる。この場合、検索列（行）を昇順にしておかなくてもよい。また一致する値が見つからない場合にエラー値を返す機能も時に有益となる。 • 近似値を含む検索では、LOOKUP( ) と操作方法は違うが、機能上の違いはない。検索列（行）の値を昇順に並べ替えておかないと正しい検索ができない点も両者とも同じである。

例題 4-3 (ステップ 2)

★検索関数：VLOOKUP( )

① 検索表の項目：「LOOKUP」の右隣に、次のように項目：「VLOOKUP」の列を作る。

	D	E	F
1	検索表		
2	検索値	LOOKUP	VLOOKUP
3	B	良です	
4	D	不可残念でした	
5			

② 関数：VLOOKUP( )を用いて、成績評価表の中で、検索表の項目：「検索値：B」に一致する評価内容を求め、その結果を項目：「VLOOKUP」（セル F3）に入れる。

③ セル F3 を F4 までオートフィルして下の結果を得る。

	A	B	C	D	E	F
1	成績評価表			検索表		
2	記号	評価内容		検索値	LOOKUP	VLOOKUP
3	A	優です		B	良です	良です
4	B	良です		D	不可残念でした	不可残念でした
5	C	可です				
6	D	不可残念でした				

ポイント

- 引数の検索値はセル D3、範囲はセル A3〜B6、列番号は、対応列の左端からの列数（この場合 2）、検索方法は、近似的一致なら TRUE（または省略）とする。

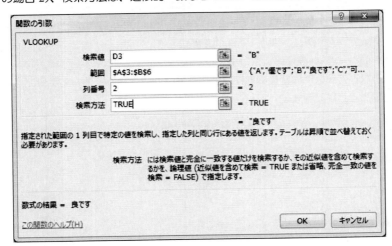

- ステップ 1 の②で述べたように、範囲を絶対（または複合）参照で指定する。
- 検索値が空白の場合に#N/A がでないように、ステップ 1 の一口メモのように関数:IF( ) を使って処理しておく。

章末問題

練習 4-1　★条件関数、検索関数

付録データのシート：「タイピング」をコピーして、次の処理をシート：E4-1 に行え。

① 合否欄に、70 点以上なら「合　格」、70 点より小さいなら「不合格」と表示せよ。

② 職業コードを検索して、職業名を表示せよ。

練習 4-2　★条件関数、検索関数

付録データのシート：「体力測定」をコピーする。新しいシート：E4-2 を作成し、次の処理をシート：「体力測定」を参照して行え。ここで、「体力測定」はデータ数が多いので項目軸で「ウィンドウ枠の固定」を行うこと。（参照：Lesson2-4）

① 体重が 50kg 以上の人の数と、その体脂肪率の平均を求めよ。

② 空いたスペースに体脂肪率データをコピーし、その右列に下の条件に対応するコード（A,B,C）を記せ。

③ さらに、検索関数を使ってコードの右列に下のコメントを表示せよ。

コード	体脂肪率の条件	コメント
A	20未満	少しスリムですね
B	20以上30未満	普通です
C	30以上	肥満気味なので注意しましょう

練習 4-3　★縦棒グラフ、関数：IF( )、条件付き書式

付録データのシート：「漁獲高」をコピーし、次の処理をシート：E4-3 に行え。

① 次のような都道府県別漁獲量の縦棒グラフを描け。書式も（横軸の文字列の方向も含めて）見本のように設定する。

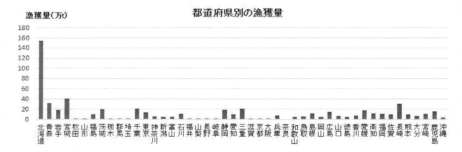

② シート：「漁獲高」の表の項目：「漁獲量（万
t）」の横に、項目：「記号」の列を追加せよ。
次に、右に示す「分類」の「条件」を使って
各都道府県の漁獲量を「記号」で分類せよ。

分類	条件（万トン）	記号
少ない	<10	C
普通	<100	B
多い	>=100	A

③ 下の「分類色」と「文字色」に従って、②で入力した「記号」のセルを着色せよ。

記号	分類色	文字色
C	水色	黒
B	青	赤
A	紺色	白

練習 4-4 ★検索関数：VLOOKUP( )

電子辞書を作る。まず右に示す表：「辞書」を作成する。次に、表：「検索結果」を作成し、関数：VLOOKUP( ) を使って excel という英単語（セル D3）を検索値とし、表：「辞書」を参照して、その日本語訳をセル E3 に表示する。ここで、表：「辞書」の英単語は昇順になっていないことを踏まえ、関数：VLOOKUP( )の第 4 引数：検索方法にも注意すること。（シート：E4-4）

▲	A	B	C	D	E
1	辞書			検索結果	
2	英単語	日本語訳		検索する英単語	日本語訳
3	apple	りんご		excel	
4	angle	角度			
5	brother	兄弟			
6	bill	請求書			
7	fish	魚			
8	excel	より勝る			
9	chalk	チョーク			
10	Look Up	調べる			
11	mother	母			
12	Paper	紙			

練習 4-5 ★検索関数：HLOOKUP( )

シート：E4-4 をコピーしてシート：E4-5 を作成する。まず、練習 4-4 の検索表を「行列を入れ替える操作」でコピー（参照：一口メモ）した以下の検索表をつくる。次に、表：「検索結果」に一行追加し、「検索する英語」を bill として、この日本語訳を関数：HLOOKUP( ) によって検索せよ。

英単語	apple	angle	brother	bill	fish	excel	chalk	Look Up	mother	Paper
日本語訳	りんご	角度	兄弟	請求書	魚	より勝る	チョーク	調べる	母	紙

一口メモ

練習 4-4 の辞書に相当する表を練習 4-5 の形式に変更するにはコピーの後「貼り付け」メニューの「行列を入れ替える」ボタンを選択する。

練習 4-6 ★条件関数、検索関数

シート：「体力測定」を参照して次の処理をシート：E4-6 に行え。

① 体脂肪率が 25 より小さい学生の平均体重を求めよ。
② 体脂肪率が 25 より小さく、身長が 160cm 以下の学生の人数を求めよ。
③ 関数：LOOKUP( )を使って、番号 100 の BMI と骨密度を検索せよ。
④ 関数：VLOOKUP( )を使って、番号 100 の BMI と骨密度を検索せよ。

第5章　簡単な統計量の計算

Lesson 5-1　式入力による統計計算

学習目標

　　Excel には統計量を計算する関数が用意されているが、ここではそれを使わず、式と簡単な基本関数だけで統計量を計算する。このことを通して Excel における式の扱い方を復習する。

知識とスキル

基本統計量	データの統計的特性を表す量のうち、基本的な指標となるもの。ここでは平均、分散、標準偏差、偏差値などを扱う。
平均	データの総量をその個数で割った値
偏差	各データ値と平均の差
分散	データのばらつきを表す統計量
標準偏差	分散の平方根
偏差値	あるデータ値が集団のなかでどのような位置にあるかを表す無次元量。偏差と標準偏差を用いて計算される。

例題 5-1（ステップ 1）

① 付録データのシート:「成績 1」を新しいファイルにコピーし、シート名を L5-1 に変更する。そのファイル名を L5.xlsx とする。

② 右の表:「基本統計量の計算」をセル F2 からセル G7 に作成する。

	E	F	G
1		基本統計量の計算	
2		統計量	基本関数
3		データの個数 n	
4		平均 Xm	
5		偏差平方和 ΣD_i^2	
6		分散 V	
7		標準偏差 s	

③ 基本関数 COUNTA( )を使って「データの個数 n」を、合計関数 SUM( )で求めた合計値をデータ個数 n で割って「平均 X_m」を求める。

例題 5-1（ステップ 2）

① シート:L5-1 の項目「成績 Xi」の右列に次の3つの項目名、すなわち、偏差:「$D_i=X_i-X_m$」、偏差平方:「D_i^2」、および偏差値:「Y_i」を追加する。

② セル B2 に偏差 D_i を計算する式「$=X_i - X_m$」を入れる。ここで X_i にはセル A2 を参照し、X_m にはステップ 1 で作成した表：「基本統計量の計算」の平均 X_m を絶対参照する。

③ セル C2 に、セル B2 を 2 乗する偏差平方 D_i^2 の計算式を入れる。

④ 全員の値をオートフィルで求める。
※偏差値 Y_i の値はステップ 3 で求める。

	A	B	C	D
1	成績X_i	$D_i=X_i-X_m$	D_i^2	偏差値Y_i
2	62	-2.8	8	48.3
3	32	-32.8	1078	30.4
4	65	0.2	0	50.1
5	80	15.2	230	59.1
6	85	20.2	407	62.0
7	75	10.2	104	56.1
8	36	-28.8	831	32.8
9	38	-26.8	720	34.0
10	87	22.2	492	63.2
11	75	10.2	104	56.1
12	90	25.2	634	65.0
13	62	-2.8	8	48.3
14	27	-37.8	1431	27.4
15	60	-4.8	23	47.1
16	26	-38.8	1507	26.8
17	58	-6.8	47	45.9
18	54	-10.8	117	43.5
19	44	-20.8	434	37.6
20	64	-0.8	1	49.5
21	55	-9.8	97	44.1
22	70	5.2	27	53.1
23	44	-20.8	434	37.6
24	55	-9.8	97	44.1
25		-18.8	354	38.8

ポイント

- 2 乗を計算する式は「$= D_i\text{^}2$」である。このほか、「$= D_i * D_i$」や 「$= D_i ** 2$」でもよい。べき乗関数 Power()を使うなら 「$= Power(D_i, 2)$」とする。

- オートフィルで入力する連続データの行数が多い場合、下のようにセル B2 とセル C2 を選択し、アクティブセルの右下隅に表示される+記号をダブルクリックする。

	A	B	C	
1	成績X_i	$D_i=X_i-X_m$	D_i^2	偏差
2	62	-2.8	8	
3	32			
4	65			

例題 5-1 （ステップ3）

★統計量、平方根の計算

① ステップ1で作成した表：「基本統計量の計算」の偏差平方和 ΣD_i^2 をセル G5 に計算する。ここで平方は 2 乗を、和は合計を表す。合計には SUM()を使う。

② 分散 V をセル G6 に計算する。V=偏差平方和 ÷ (n-1) である。

③ 標準偏差 s をセル G7 に計算する。$s = \sqrt{V}$ である。
平方根$\sqrt{}$の計算には、関数：SQRT( )を使う。 この場合の引数は分散 V である。以上の操作が正しくできれば右の結果を得る。

④ 偏差値 Y_i を D 列の各セルに計算する。$Y_i = 50+10 * D_i / s$ である。

⑤ オートフィルで全員の偏差値を求める。

	E	F	G
1		基本統計量の計算	
2		統計量	基本関数
3		データの個数 n	213
4		平均 Xm	64.8
5		偏差平方和 ΣD_i^2	59535
6		分散 V	281
7		標準偏差 s	16.8

Lesson 5-2　統計関数の利用

学習目標

Lesson5-1 で計算した統計量を Excel に用意された統計関数によって求め、両者が一致することを確かめる。母集団と標本の違い、および各々に異なる関数があることを理解する。

知識とスキル

統計関数	Excel には、様々な統計量を求める関数が用意されている。これらは、「関数の挿入」画面の「関数の分類」メニュー中の「統計」にあり、およそ 100 個ある。
母集団と標本	統計量を求める対象となるデータ群を母集団という。母集団が大きい場合、そこから抽出した**標本データ**を使って統計量を求め、母集団の統計量を推定する。
母集団の 分散と標準偏差 VAR.P( ) STDEV.P( )	母集団の分散である**母分散**には、関数：VAR.P( )、その平方根として求められる**母標準偏差**には、関数：STDEV.P( )を使う。それぞれ引数は（数値 1，数値 2，…）で表され、次のように母集団データを含むセル範囲や配列、数値を指定する。 【例】VAR.P(A1, A2, …)、VAR.P(A1:A100)
標本の 分散と標準偏差 VAR.S( ) STDEV.S( )	**標本分散**の関数：VAR.S( )は、引数を正規母集団の標本と見なし母分散の推定値（不偏分散）を計算する。その平方根の**標本標準偏差**は関数：STDEV.S( )である。引数は（数値 1，数値 2，…）で表され、次のように標本データを含むセル範囲や配列、数値を指定する。 【例】VAR.S(A1, A2, …)、VAR.S(A1:A100)
偏差平方和 DEVSQ( )	偏差（各データと平均値の差）の平方の和（合計）をデータ数で割った値が分散である。偏差平方和は、DEVSQ( )で求める。
歪度と尖度 SKEW( ),KURT( )	標本が正規分布と見なせるか否かを判定する指標に、歪度（わいど）と尖度（せんど）がある。（詳しくは 62 ページ参照）
平均 AVERAGE() 中央値 MEDIAN() 最頻値 MODE() トリム平均 TRIMMEAN()	• 平均は、全標本の合計をデータ数で割った算術平均 • 中央値は、全標本のうち、真ん中の順位にある標本の値 • 最頻値は、標本の中で最も頻繁に出現する値 • トリム平均は、上位と下位の一定割合の標本を除いた残りの平均
相関係数 CORREL( )	2 系列の標本の類似性の度合い（相関）を表す統計量。-1 から 1 の値を戻す。正負の値は、それぞれ正の相関と負の相関を表す。

例題 5-2（ステップ1）

① シート：L5-1 をコピーして、シート：L5-2 を作成する。

② L5-1 で作成した表：「基本統計量の計算」に 項目：「統計関数」の列を追加する。

統計量	基本関数	統計関数
データの個数 n	213	
平均 X_m	64.8	
偏差平方和 ΣD_i^2	59535	
分散 V	281	
標準偏差 s	16.8	

例題 5-2（ステップ2）

★統計関数の利用

① 項目：「統計関数」の列の各セルに統計関数を入力する。すべて標本に対する関数を使う。

② 統計関数の計算結果の表示桁数を適切に 整える。（整数、有効桁数など）

③ 基本関数（SUM と COUNTA）と式を使って求めた「基本関数」の列と統計関数を使って得た「統計関数」の列のそれぞれの統計量の値が同じであることを確認する。

統計量	基本関数	統計関数
データの個数 n	213	213
平均 X_m	64.8	64.8
偏差平方和 ΣD_i^2	59535	59535
分散 V	281	281
標準偏差 s	16.8	16.8

例題 5-2（ステップ3）

★その他の統計関数の利用

① 次の統計量の意味を調べ、確認する。
- 中央値、最頻値、トリム平均
- 標準誤差（知識とスキルでは割愛）
- 歪度、尖度（章末の例示を見る前に調べる）
- 相関係数

② 成績データを参照して、相関係数を除く統計量を右のように求める。ただし、データは標本とみなす。トリム平均は上下 25%を削除した平均とする。

③ 表示桁数を右の表（有効桁を 3 桁にしている）と同じにする。

④ 付録データのシート：「体力測定」をコピーし、それを参照して体重と身長の相関係数を求める。

統計量	関数値
平均	64.8
標準誤差	1.15
中央値（メジアン）	65.0
最頻値（モード）	65.0
トリム平均	65.6
標本標準偏差	16.8
標本分散	281
尖度	-0.286
歪度	-0.412
範囲（最大-最小）	80.0
最小	15.0
最大	95.0
合計	13808
標本数（データの個数）	213

Lesson 5-3　分析ツールによる基本統計量

学習目標

分析ツールを使って基本統計量を求める。

知識とスキル

分析ツールの追加方法	「ファイル」タブのプルダウンメニューの「オプション」を選択する。**「Excel のオプション」**画面の「アドイン」の**「分析ツール」**をクリックし、下方の管理：プルダウンメニューの「Excel アドイン」を選ぶ。続いてその右にある「設定」ボタンを押す。  　右の「アドイン」画面の有効なアドインの中の「分析ツール」にチェックを入れ、「OK」ボタンを押す。 

分析ツール の使い方	分析ツールを追加してから「データ」タブを選ぶと右端に「**データ分析**」ボタンが見えるようになる。

	「データ分析」ボタンをクリックし、分析ツールメニューの「**基本統計量**」を選択して OK ボタンを押す。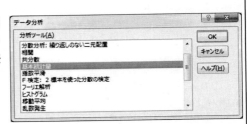
	「基本統計量」画面では、入力範囲に項目行を入れる場合は、「先頭行をラベルとして使用」をチェックする。次に出力先セル番地を指定し、その下の「統計情報」をチェックする。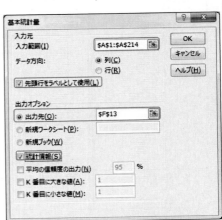

例題 5-3

★分析ツールの利用

① シート：L5-2 をコピーし、シート名を L5-3 とする。

② 分析ツールを追加（アドイン）し、右のように基本統計量一式を求める。その際、右と同じになるように有効桁数を整えること。

③ 統計関数を使って求めた例題 5-2（ステップ 3）の結果と同じであることを確かめる。

成績Xi	
平均	64.8
標準誤差	1.15
中央値（メジアン）	65.0
最頻値（モード）	65.0
標準偏差	16.8
分散	281
尖度	-0.286
歪度	-0.412
範囲	80.0
最小	15.0
最大	95.0
合計	13808
データの個数	213

Lesson 5-4　　度数分布

学習目標

右に例示する**度数分布図（ヒストグラム）**を描くために必要な、「度数を計算する」関数の使い方を習得する。

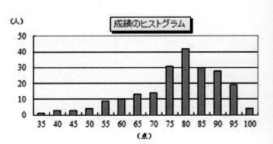

知識とスキル

度数関数： FREQUENCY( )	ある範囲に属するデータの度数や頻度を求める関数。引数は（データ配列，区間配列）。ここで「配列」とは、同じ属性をもつ複数のデータをひとくくりにまとめたものである。 　引数の詳細は以下の通り。 • **データ配列**：度数を求める対象データを全て含むセル範囲 　【例】全学生の成績データのセル範囲 • **区間配列**：データ配列に指定されたデータを分類するために、ある間隔で設けられた区間を表すデータのセル範囲 　【例】度数を求める区間の範囲（10〜20点、20〜30点など）
配列関数	度数関数：FREQUENCY（データ配列、区間配列）のように、配列を引数にもつ関数を配列関数という。

例題 5-4（ステップ1）

① 付録データのシート：「成績 1」をコピーしてシート名を L5-4 とする。また、項目名：「成績 X_i」を「データ配列」に変更する。

② 度数分布の区間数（ヒストグラムの棒の数）と区間幅（学習目標の右の図では5点）を決めるため右の表を作成する。

	E	F	G
1		項目	結果
2		データ個数 n	
3		区間数 k	
4		最大値	
5		最小値	
6		範囲 R	
7		区間幅 h	

③ データ個数 n を関数 COUNTA( )、最大値を関数 MAX( )、最小値を関数 MIN( )、範囲 R=最大値-最小値、区間数 k=√n（データ個数の平方根）のそれぞれを「結果」の列に計算する。

④ 区間幅 h は h=R/k で求まる。さらに h をきりのよい数にするため、「結果」の列に h=ROUND(R/k, 0)と入力する。**関数：ROUND( )** は、**四捨五入**したい数値を第 1 引数に、

小数点桁数を第 2 引数に指定する。

⑤　①～④の操作が正しくできれば、右の結果になる。

項目	結果
データ個数 n	213
区間数 k	14.6
最大値	95
最小値	15
範囲 R	80
区間幅 h	5

ポイント

　ここでの作業は、棒グラフ（ヒストグラム）の棒をいくつにするか、そのために区間の幅をいくらにするかを計算するものである。データ数の平方根として計算される棒の数（区間数）が決まれば、範囲を棒の数で割った値として区間幅が決まる。

例題 5-4（ステップ 2）

★配列関数：FREQUENCY( )の操作、ヒストグラム

①　最小値 15、区間幅 5 として区間配列を右のように定める。

②　セル D2 からセル D19 を選択したのち、関数：FREQUENCY( ) を、「関数の挿入」画面から選ぶ。

ポイント

　選択された複数のセルを配列という。この配列に一つの関数：FREQUENCY( )を当てはめることからも配列関数の名前がある。

③　下に示す「関数の引数」画面のデータ配列には A 列の「データ配列」を、区間配列には、C 列の「区間配列」を選ぶ。

	A	B	C	D
1	データ配列		区間配列	度数
2	62		15	
3	32		20	
4	65		25	
5	80		30	
6	85		35	
7	75		40	
8	36		45	
9	38		50	
10	87		55	
11	75		60	
12	90		65	
13	62		70	
14	27		75	
15	60		80	
16	26		85	
17	58		90	
18	54		95	
19	44		100	

このあとの操作は、次のページの④に続く・・・

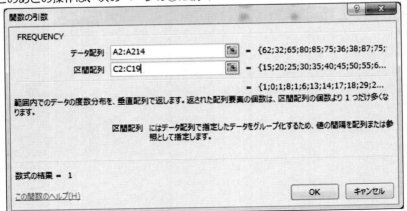

第5章

④ 数式バーの関数式：=FREQUENCY(A2:A214，C2:C19)の<u>最後尾をクリック</u>したのち、Ctrl+Shift+Enter のキーを同時に押す。

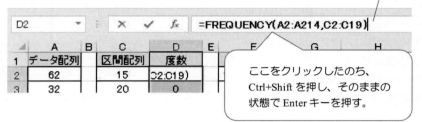

⑤ 項目：「度数」のセル D2 から D19 には、数字（度数）が入る。正しく挿入されれば、右下のようになる。配列関数が返したこの数字を削除する場合はセル D2 からセル D19 を一括選択した後に Del キーを押す、あるいは数式バーの左側のバツ印をクリックする。

⑥ ⑤で求めた度数を使って、下に示すヒストグラムを作成する。

⑦ 区間幅を半分にしてヒストグラムを描き、⑥と比較する。

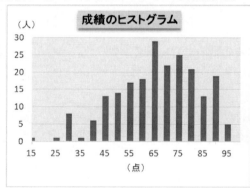

	C	D
1	区間配列	度数
2	15	1
3	20	0
4	25	1
5	30	8
6	35	1
7	40	6
8	45	13
9	50	14
10	55	17
11	60	18
12	65	29
13	70	22
14	75	25
15	80	21
16	85	13
17	90	19
18	95	5
19	100	0

例題 5-4（ステップ3） ★ヒストグラム機能

① A 列の「データ配列」を選択後、「挿入」タブの「統計グラフの挿入」[A]からヒストグラムを選択する。

② 横軸の書式設定の「軸オプション」において、「ビンの幅」の値を 5.0 に変更する。

③ 縦軸目盛、軸ラベル、タイトル等の書式を設定して、右図のヒストグラムを描く。ステップ2⑥で作成したヒストグラムと比較する。

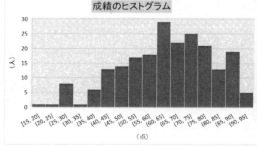

A Excel2016 で追加された機能。Excel2013 以前では、分析ツール（参照：56 ページ）の中にある。

章末問題

練習 5-1

付録データのシート：「体力測定」をコピーする。シート：「体力測定」を参照して次の処理をシート：E5-1 に行え。

① 体力測定データの C 列（身長）から I 列（骨密度）を参照して、シート：E5-1 にそれらの項目に対する平均と標本標準偏差を求めよ。

② BMI の基本統計量を、分析ツールを使って求めよ。その平均と標準偏差が①の BMI の結果と同じであることを確かめよ。

③ BMI のヒストグラムを描くために必要な区間幅を求めよ。

④ ③の結果を使って度数分布表を作れ。

⑤ ④の度数をもとにヒストグラムを描け。（単位やラベルを忘れないこと）

⑥ 分析ツールのヒストグラム機能を使って BMI のヒストグラムを描け。度数表も出力されるので余裕をもって出力先セルを選ぶこと。

データ数	
区間数	
最大	
最小	
範囲	
区間幅	

練習 5-2

付録データのシート：「気象」をコピーする。シート：「気象」を参照し、次の処理をシート：E5-2 に行え。なお、データの「気温」と「地温」は 1 日の平均である。

① 気温と地温のそれぞれについて母標準偏差と母分散を求めよ。

② 気温、最高気温、最低気温の基本統計量を、分析ツールを用いて求めよ。

③ 気温と地温、および気温と日射量の相関係数をそれぞれ求めよ。

練習 5-3

シート：「オンラインテスト」を参照し、次の処理をシート：E5-3 に行え。

① 個人平均点および個人最高点のそれぞれの度数分布表を作成せよ。ただし、いずれも、区間幅を 1 点、範囲を 10 点から 100 点とする。

② 個人平均点と個人最高点のそれぞれのヒストグラムを同じグラフエリアに描け。

③ 個人平均点と個人最高点のそれぞれの平均、中央値、最頻値を表にまとめよ。

尖度と歪度

　これまで正規分布を前提とする統計量を学んだが、対象のデータが常に正規分布とは限らない。正規分布と見なせるかを判定する指標に尖度 K（kurtoisis）と歪度 S（skewness）がある。ともに 0 に近い（標準誤差に対する比率が±2 の範囲内）とき正規分布とみなすことができる。下の図は、福井県内 3 箇所、3 年間（夏季）の気温と風速（ともに日平均）の**ヒストグラム**である。気温の分布は尖度、歪度とも小さく正規分布とみなせるが風速の分布は、尖度、歪度ともに大きい。

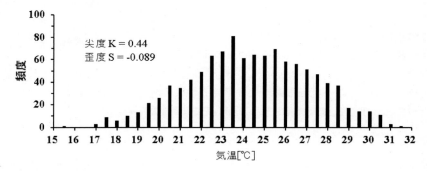

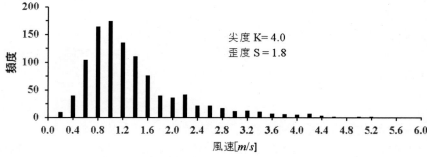

　尖度 K は正規分布と比べて分布の形が尖っているか、扁平かを表す。風速分布のように、K>0 の分布は正規分布に比べて平均値の周りが尖り、裾の広がりが厚い。一方、K<0 の分布は扁平で裾が途切れている。K が 5 以上では外れ値の存在に注意が必要である。

　歪度 S は、分布の非対称性を表す指標である。S>0 の風速分布は右裾が広がり（山が左寄りで正の方向へ歪む）、反対に S<0 では左裾が広がり（山が右寄りで負の方向へ歪む）、S=0 の分布は左右対象である。正規分布の歪度は小さく S は 0 に近い。ただ、左右対称（S=0）だから正規分布とは限らない。両側の値が大きい分布もあるので一度描いてみる必要がある。

外部データの利用

　他のソフトウエアで作成したデータを Excel で利用する場合は、**csv 形式**（カンマ、空白、Tab で区切られたデータ）で出力する。購入する外部データも csv 形式が多く、Excel から直接読み込むことができる。csv 形式以外の場合、一般に右下図に示す「データ」タブの「外部データの取り込み」グループの「Acsess データベース、Web クエリ、テキストファイル・・・」の一つを選択して外部データを取り込む。

（1）Access データベース

　Access で作成されたファイルを指定する。

（2）Web クエリ

　Web ページの統計数値などの表データを Excel シートに取り込む。「Web クエリ」を選択し「新しい Web クエリ」画面のアドレステキストボックスに Web ページのアドレスを指定後、

横の「移動」ボタンを押す。取り込みたい表の先端にある黄色の矢印ボタンで表を選択後、取り込みボタンを押す。

（3）テキストファイル

　「データ」タブの「外部データ取り込み」からテキストファイルを選択する[B]。次のテキストファイルウイザード-1/3 では「カンマやタブなどの区切り文字によってフィールドごとに区切られたデータ」を選択し「次へ」、ウィザード-2/3 では「タブ」や「スペース」を選択して「次へ」進む。「データを返す先」を指定すると空白で区切られたデータがセル単位で取り込まれる。

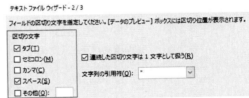

| A1 | ▼ | : | × | ✓ | fx | 学部・学科 1年 2年 3年 4年 計 |

	A	B	C	D	E	F
1	学部・学科	1年 2年 3年 4年 計				
2	経済学科	117 (44) 117 (60) 116 (54) 112 (44) 462 (202)				
3	経営学科	116 (74) 113 (61) 112 (56) 126 (64) 467 (255)				
4	経済学部	計 233 (118) 231 (122) 228 (110) 238 (108) 929 (457)				

　テキストファイルをコピーすると上のように A 列だけにコピーされる場合がある[C]。このときは、A 列をポイント後メニュー：「データ」のアイコン：「**区切り位置**」によって処理する。

B Excel2010 では、選択後に「インポート」ボタンを押す。
C Excel2016 では A 列だけにコピーされることはなく、フィールドごとに区切られる。

学習目標

Excel にはデータベースとしての機能もある。その基本と、並べ替えの機能を習得する。

知識とスキル

データベース(DB) フィールド	Excel の表を、データベース（DB）のテーブルとして扱う。 DB では、Excel の表の「項目」を**フィールド**、項目行を**フィールド行**とよぶ。
キーフィールド	キーとなるフィールド。例題 6-1 の「生徒番号」が相当する。
レコード	DB ではフィールド行以下のデータの入っている行をレコードとよぶ。
並べ替え（ソート）	レコードを文字列や数値、日時などで並べ替えることができる。レコードを並べ替えるには、表の任意のセルをポイントして、「データ」タブの「並び替えとフィルター」グループにある「並べ替え」ボタンをクリックする。「並べ替え」画面が表示されるので、以下の項目を指定する。 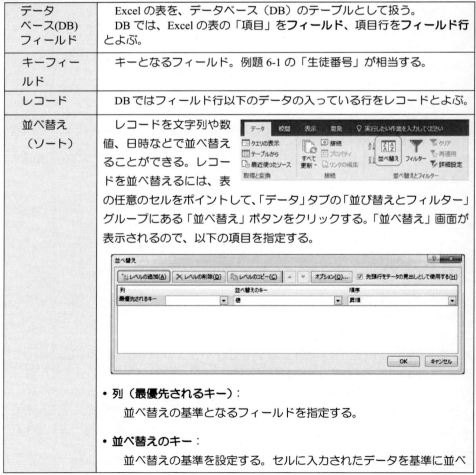 ・**列（最優先されるキー）：** 　並べ替えの基準となるフィールドを指定する。 ・**並べ替えのキー：** 　並べ替えの基準を設定する。セルに入力されたデータを基準に並べ

	替えを行う場合は「値」を選択する。数値の場合は大きさの順に、文字列の場合は文字コード順Aに、日付の場合は時系列の順に並べ替えることができる。また、セルやフォントの色など書式によって並べ替えることもできる。 • **順序**: 　　例えば、得点の大きさ順にレコードを並べ替えるとき、得点が低い方から高い順に並べ替えることを昇順並べ替え、逆に高得点から低い順に並べ替えるとき、降順並べ替えという。
昇順 降順	
レベルの 追加	複数のフィールドを基準に並べ替えを行う場合は、「レベルの追加」ボタンを押して、次に優先されるキーを指定する。
フィルター による並べ 替え	表の任意のセルをポイントして、「データ」タブの「並び替えとフィルター」グループにある「**フィルター**」ボタンをクリックする。 　　各フィールドの横に▼ ボタンが表示されるので、これを押して下図のプルダウンメニューを表示する。画面の昇順や降順を選んでレコードを並べ替える。 　　「色で並べ替え」は、選択した色のセルを上位に並べる。  　　複数のフィールドについての並べ替えには、前述の「並べ替え」を使うほうが容易である。 　　レコードを元に戻すには、キーフィールドの順に並べ替える。 　　フィールド行の▼ボタンを消すには、「フィルター」ボタンをもう一度押す。

A 文字列の並び順は、「並べ替え」画面の「順序」にある「ユーザ設定リスト」で指定することもできる。

例題 6-1（ステップ1）

① 新たにブックを作成し、L6.xlsx という名前で保存する。例題 4-2（ステップ3）で作成した成績データをコピーして「形式を選択して貼り付け」の「値」で貼り付け、シート名を L6-1 に変更する。

② シート：L6-1 で、全項目を表示させ、下に示すフィールド以外の列を削除する。

③ シート：L6-1 をコピーして、シート：L6-1-1、L6-1-2 を作成する。

例題 6-1（ステップ2）

★レコードの並べ替え

① シート：L6-1-1 において DB（テーブル）の中の任意の1セルを選択したのち、「並べ替え」ボタンをクリックして、「並べ替え」画面を表示する。

② 「並べ替え」画面で、DB のレコードを「得点」の降順に並べ替える。

	A	B	C	D	E	F	G
1	生徒番号	氏名	性別	試験	出席回数	得点	評価
2	3006	後藤正晴	男	5	6	100	A
3	3008	須藤美絵	女	5	6	100	A
4	3010	滝 聡	男	4	6	92	A
5	3017	野瀬昌司	男	4	6	92	A
6	3019	早川浩平	男	4	6	92	A
7	3003	上本弘美	女	4	6	92	A
8	3015	栃本 睦	男	3	6	84	A
9	3013	谷本 渉	女	3	6	84	A
10	3002	磯辺康子	女	4	5	82	A
11	3005	川本 篤	男	3	5	74	B
12	3009	高山絵里	女	3	5	74	B
13	3011	竹内 歩	女	3	5	74	B
14	3012	田中早苗	女	4	4	72	B
15	3014	寺田真由美	女	4	4	72	B
16	3018	浜野 伸	男	3	4	64	C
17	3001	池田由美	女	3	4	64	C
18	3004	内田智子	女	3	4	64	C
19	3020	牧田淳子	女	4	3	62	C
20	3016	中田卓也	男	3	3	54	D
21	3007	小林友美	女	3	3	54	D

③ 得点が同点のレコードを性別の降順に並べ替えるには、「レベルの追加」ボタンをクリックし、「性別」を選択、降順に並べ替える。正しく操作できていれば、上の結果になる。

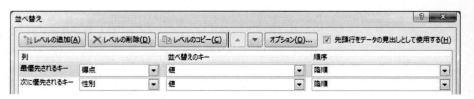

例題 6-1（ステップ 3）

★レコードの並べ替え(AZ↓, ZA↓)

① 評価の列の任意のセルをポイントして AZ↓ ボタンを押して昇順に並べ替える。

② 同様に ZA↓ ボタンを押して降順に並べ替える。

例題 6-1（ステップ 4）

★フィルターによる並べ替え

① シート：L6-1-2 において、DB の中の任意のセルをポイントしたのち「フィルター」ボタンを選択して、フィールド行に ▼ ボタンを追加する。

② フィールド：「試験」のフィルターボタンをクリックして表示される画面の降順を選び、並べ替える。

	A	B	C	D	E	F	G
1	生徒番▼	氏名 ▼	性別▼	試験 ↴	出席回▼	得点 ▼	評価▼
2	3006	後藤正晴	男	5	6	100	A
3	3008	須藤美絵	女	5	6	100	A
4	3010	滝 聡	男	4	6	92	A
5	3017	野瀬昌司	男	4	6	92	A
6	3019	早川浩平	男	4	6	92	A
7	3002	磯辺康子	女	4	5	82	A
8	3003	上本弘美	女	4	6	92	A
9	3012	田中早苗	女	4	4	72	B
10	3014	寺田真由美	女	4	4	72	B
11	3020	牧田淳子	女	4	3	62	C
12	3005	川本 篤	男	3	5	74	B
13	3015	栃本 睦	男	3	6	84	A
14	3016	中田卓也	男	3	2	54	D
15	3018	浜野 伸	男	3	4	64	C
16	3001	池田由美	女	3	4	64	C
17	3004	内田智子	女	3	4	64	C
18	3007	小林友美	女	3	3	54	D
19	3009	高山絵里	女	3	5	74	B
20	3011	竹内 歩	女	3	5	74	B
21	3013	谷本 渉	女	3	6	84	A

<u>ポイント</u>

• 「フィルター」で降順が実行されている場合は、フィールド行の ▼ ボタンが ↴ と表示され、逆に昇順が実行されている場合は ↑ になる。

• 上図では、試験が<u>同点の場合に性別の降順</u>になっている。これは「性別」の降順に並べ替え、その後「試験」の降順に並べ替えている。このように複数のフィールドについて並べ替える場合は、前項の並べ替えボタン（レベルの追加）を使うほうがよい。

Lesson 6-2　レコードの抽出

学習目標

- 特定の条件を満たすレコードを DB 内で抽出・表示できる。
- 指定した場所に、条件を満たすレコードを抽出・表示できる。

知識とスキル

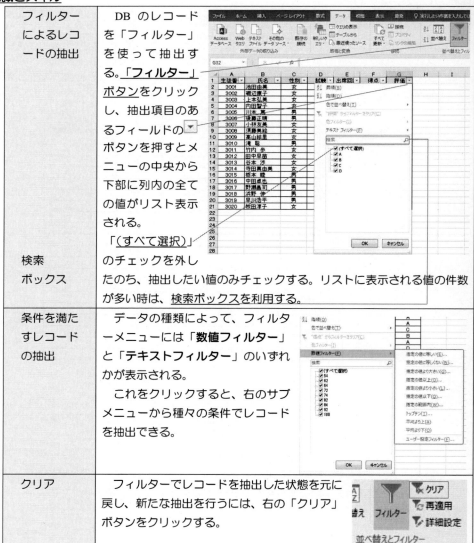

フィルターによるレコードの抽出	DB のレコードを「フィルター」を使って抽出する。「**フィルター**」ボタンをクリックし、抽出項目のあるフィールドの▼ボタンを押すとメニューの中央から下部に列内の全ての値がリスト表示される。「(すべて選択)」	
検索ボックス	のチェックを外したのち、抽出したい値のみチェックする。リストに表示される値の件数が多い時は、検索ボックスを利用する。	
条件を満たすレコードの抽出	データの種類によって、フィルターメニューには「**数値フィルター**」と「**テキストフィルター**」のいずれかが表示される。 　これをクリックすると、右のサブメニューから種々の条件でレコードを抽出できる。	
クリア	フィルターでレコードを抽出した状態を元に戻し、新たな抽出を行うには、右の「クリア」ボタンをクリックする。	

例題 6-2（ステップ 1）

シート：L6-1 をコピーして、シート：L6-2-1、L6-2-2、L6-2-3、L6-2-4 を作成する。

例題 6-2（ステップ 2）

★フィルターによるレコードの抽出

① シート：L6-2-1 の 1 つのセルを選択し「フィルター」ボタンをクリックする。

② 「生徒番号」フィールドの ▼ をクリックして、すべて選択のチェックをはずしてから、
生徒番号：「03001」、「03005」、「03010」、「03015」、「03020」をチェックすると、下のよ
うにレコードが抽出・表示される。

	A	B	C	D	E	F	G
1	生徒番▼	氏名 ▼	性別 ▼	試験 ▼	出席回▼	得点 ▼	評価 ▼
2	3001	池田由美	女	3	4	64	C
6	3005	川本 篤	男	3	5	74	B
11	3010	滝 聡	男	4	6	92	A
16	3015	栃本 睦	男	3	6	84	A
21	3020	牧田淳子	女	4	3	62	C

ポイント

抽出されなかったレコードの行番号が非表示になっていることに注意する。

例題 6-2（ステップ 3）

★条件を満たすレコードの抽出

① シート：L6-2-2 において、「フィルター」ボタンをクリックする。

② 「得点」フィールドの「数値フィルター」から「指定の範囲内」を選択し、「70 点以上」
AND「80 点より小さい」を指定すると、右のようにレコードが抽出・表示される。

	A	B	C	D	E	F	G
1	生徒番▼	氏名 ▼	性別 ▼	試験 ▼	出席回▼	得点 ▼	評価 ▼
6	3005	川本 篤	男	3	5	74	B
10	3009	高山絵里	女	3	5	74	B
12	3011	竹内 歩	女	3	5	74	B
13	3012	田中早苗	女	4	4	72	B
15	3014	寺田真由美	女	4	4	72	B

③ 「得点」フィールドの「数値フィルター」から「トップテン」を選んだのち、上位 3 位のレコードを抽出する。92 点が 4 名いるので右下の結果になる。

ポイント

- レコードが抽出されているとき、フィールドの ▼ ボタンは ⫧ になる。
- この方法で抽出を行うと、元の DB が折りたたまれて表示される。

	A	B	C	D	E	F	G
1	生徒番▼	氏名 ▼	性別 ▼	試験 ▼	出席回▼	得点 ▼	評価 ▼
4	3003	上本弘美	女	4	6	92	A
7	3006	後藤正晴	男	5	6	100	A
9	3008	須藤美絵	女	5	6	100	A
11	3010	滝 聡	男	4	6	92	A
18	3017	野瀬昌司	男	4	6	92	A
20	3019	早川浩平	男	4	6	92	A

知識とスキル

特定フィールド/レコードの抽出	フィルターによる抽出では、特定フィールドの、特定レコードを元のテーブルと異なる場所に抽出することができる。

DB の任意のセルをポイントしたのち、上の「データ」タブの「並べ替えとフィルター」グループの「詳細設定」ボタンを選択する。

この方法では、予め抽出条件式（「検索条件範囲」で指定）と、抽出するフィールド（「抽出範囲」で指定）を作成しておく必要がある。

「フィルターオプションの設定」 画面の設定方法を以下に記す。

- **抽出先**：

    「選択範囲内」を選んだ場合は、元の DB を折りたたんで、条件を満たすレコードを表示する。

    「指定した範囲」を選ぶと、グレーになっていた3つ目のテキストボックス「抽出範囲」が明示される。

- **リスト範囲**：

    抽出対象となる DB の全範囲

- **検索条件範囲**：

    抽出条件となる<u>フィールドとその内容</u>を指定した表

- **抽出範囲**：

    抽出結果の出力先。あらかじめ抽出したい<u>フィールド</u>を、抽出したい場所にコピーしておく。

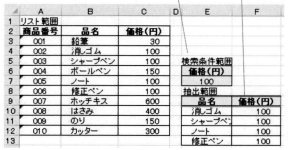

ここに抽出したレコードが表示される

例題 6-2（ステップ 4）

★特定フィールド／レコードの抽出（基本）

	I	J	K
1			
2	得点		
3	>=70		
4			
5			
6	氏名	得点	評価
7			

① シート：L6-2-3 の空きスペースに、右の「検索条件」（セル I2 と I3）を作成する。条件式「>=70」は、半角で入力する。

② 「抽出範囲」（セル I6 から K6）を作成する。「氏名」、「得点」、「評価」のフィールド名は、DB のフィールドの 3 セルをそのままコピーする。

③ 「詳細設定」の「フィルターオプションの設定」画面で以下の項目を指定する。

- 「リスト範囲」は、DB の全てのセルを選択する。
- 「検索条件範囲」に①で作成した「得点」と「>=70」を一緒に選択する。
- 「抽出範囲」には、その下に作成した「氏名」、「得点」、「評価」の 3 セルを選択する。

④ 右のように、「抽出範囲」の下に条件を満たすレコードが抽出・表示される。

氏名	得点	評価
磯辺康子	82	A
上本弘美	92	A
川本 篤	74	B
後藤正晴	100	A
須藤美絵	100	A
高山絵里	74	B
滝 聡	92	A
竹内 歩	74	B
田中早苗	72	B
谷本 渉	84	A
寺田真由美	72	B
栃本 睦	84	A
野瀬昌司	92	A
早川浩平	92	A

例題 6-2（ステップ 5）

★特定フィールド／レコードの抽出（応用）

シート：L6-2-3 において、得点が 70 点以上、80 点より小さく、出席 5 回以上のレコードを抽出する。正しく操作できれば、右の結果を得る。

氏名	得点	評価
川本 篤	74	B
高山絵里	74	B
竹内 歩	74	B

ポイント

- 1 つのフィールドについて複数の条件を「かつ（and）」で課す場合は 2 列を使い、「または（or）」で課す場合は 2 行を使う。
  - (a) 得点が 70 点以上、かつ 80 点より小さい場合
  - (b) 得点が 70 点以下または 80 点より大きい場合
- 2 つ以上のフィールド条件は次のように課す。
  - (c) 得点が 70 点以上、かつ 80 点より小さい学生で出席回数が 5 回以上の場合
  - (d) 得点が 70 点以下または 80 点より大きい学生で、かつ出席回数が 5 回以上の場合

(a)

得点	得点
>=70	<80

(b)

得点
<=70
>80

(c)

得点	得点	出席回数
>=70	<80	>=5

(d)

得点	出席回数
<=70	>=5
>80	>=5

例題 6-2（ステップ 6）

シート L6-2-4 に「評価」別に、氏名と得点の一覧を抽出し、それを Word に貼り付けよ。

第6章

Lesson 6-3　データベース関数

学習目標

条件を満たすレコードの統計量（個数、最大値、合計、標準偏差など）を返すデータベース関数を使うことができる。

知識とスキル

データベース 関数	データベース関数は、DB の中から条件を満たすレコードの統計量を返す関数である。関数の引数は（データベース, フィールド, 条件）で構成され、各項目には、セル範囲を指定する。 1つ目の引数「データベース」では、フィールドを含む DB の全範囲を参照し、2つ目の「フィールド」では対象フィールドのセルを参照するか、列位置を示す番号かラベルを指定する。3つ目の「条件」では、事前に作成した条件表を参照する。
DCOUNTA( ) DCOUNT( )	DB の中で条件を満たす**レコードの個数**を返す。DCOUNTA( )の参照するデータは文字でも数値でもよい。データに全角文字や欠損値（空白セル）があってもよい。 DCOUNT( ) は数値に限る。
DMAX( ) DMIN( )	DB の中で条件を満たすレコードに対し、「フィールド」で指定されたデータの**最大値**（DMAX）、**最小値**（DMIN）を返す。
DSUM( ) DAVERAGE( )	DB の中で条件を満たすレコードに対し、「フィールド」で指定されたデータの**合計**（DSUM）、**平均**（DAVERAGE）を返す。
DSTDEV( ) DSTDEVP( )	DB の中で条件を満たすレコードに対し、「フィールド」で指定されたデータの**標本標準偏差**（DSTDEV）、または**母標準偏差**（DSTDEVP）を返す。

例題 6-3

付録データのシート：「成績2」をコピーして、シート：L6-3 を作成する。

① 右のような、条件（得点が 10 以上、15 未満）表と、抽出フィールドの表を作る。

② セル E6 に関数：DCOUNTA( ) を適用し、①の条件を満たすレコードの件数（人数）を表示する。同様に、平均点、合計点、最高点、最低点を求める。

③ 「学部」を条件として、A 学部の得点の平均と母標準偏差を求める。

	E	F	G
1			
2	得点	得点	
3	>=10	<15	
4			
5	人数	平均点	合計点
6			
7			
8			
9	最高点	最低点	
10			

章末問題

練習 6-1

① シート：E6-1 を作成し、シート：L6-3 の成績データを参照して学部別に得点の平均と母標準偏差を求めよ。右下の条件表を使いその下の結果を得る。

② C 学部で、得点が 5 点以上、15 点未満の人数と平均得点を求めよ。

	A	B	C
1			
2	条件		
3	学部	学部	学部
4	A学部	B学部	C学部
5			
6	学部	平均得点	母標準偏差
7	A学部	14.5	8.11
8	B学部	17.7	6.79
9	C学部	17.3	6.55

練習 6-2

付録データのシート：「会社」をコピーし、シート名を E6-2 とする。それをコピーして E6-2-1、E6-2-2、E6-2-3、E6-2-4 を作成する。各シートにおいて次の操作を行え。

① シート：E6-2-1 では、北陸の会社を抽出し 50 音順（よみ順）に並べ替えよ。

② シート：E6-2-2 では、「従業員」が 50 人以上、「売上高」が 8,000 千円以上かつ 10,000 千円以下の「会社名」を抽出せよ。同じシートに、「従業員」が 10 名未満または 80 名以上のレコードを抽出せよ。フィールドは「会社名」、「売上高（千円）」、「従業員」とする。

③ シート：E6-2-3 に、「売上高」上位 5 社の売上高の平均を求めよ。

④ シート：E6-2-4 に、「売上高」5,000 千円以上 10,000 千円以下の会社数と、その売上高の平均を表示せよ。

練習 6-3

付録データのシート：「体力測定」を参照して中学時代の運動が 1、ダイエット 0、BMI が 25 以下の人の番号と体重を E6-3 に抽出せよ。また体重の上位 25%のレコードを表示せよ。

練習 6-4

付録データのシート：「気象」をコピーし、3 年間の日風速の平均、最大値、最小値を 3 観測地（福井、鯖江、大野）間で比較する表を E6-4 に作れ。風が最も強い観測地はどこか？

マクロと Excel VBA

　一連の Excel 操作をひと括りにしたものを**マクロ**という。複雑なグラフを描くとき、その操作をマクロ記録しておく。データだけ異なるが、形式や色が同じグラフをたくさん描くときにはとても便利だ。同じような表を沢山作る場合もマクロ記録しておくと自動で表を作成できる。

　マクロの中身はプログラム。マクロ記録は、Excel の操作を VBA という言語で自動記述させたものだ。**VBA**（Visual Basic Application）は、Excel に当初から組み込まれた Windows プログラムの開発環境である。

　簡単な利用例をあげよう。学生番号 03110820 の前に S をつけ、前 7 桁を使ったメールアドレス S0311082@fpu.ac.jp を作るとする。数人分なら適当にコピーしながら編集できるが 1,000 人分となると相当に面倒である。

　こんなとき VBA を使って下の 10 行のプログラミングで右のようにアドレスを生成できるのだ。

	A	B
1	学生番号	メールアドレス
2	03110820	S0311082@fpu.ac.jp
3	04110280	S0411028@fpu.ac.jp
4	04110540	S0411054@fpu.ac.jp
5	04110730	S0411073@fpu.ac.jp
6	04111000	S0411100@fpu.ac.jp
7	04111020	S0411102@fpu.ac.jp
8	04111050	S0411105@fpu.ac.jp
9	04111060	S0411106@fpu.ac.jp
10	04120390	S0412039@fpu.ac.jp
11	04120430	S0412043@fpu.ac.jp
12	04120650	S0412065@fpu.ac.jp
13	04120730	S0412073@fpu.ac.jp

```
Sub メールアドレスをつくる()
    Dim moji As String
    Dim i As Integer
    i = 2
    Do While Cells(i, 1) <> 0
        moji = Cells(i, 1).Value
        Cells(i, 2).Value = "S" & Left(moji, 7) & "@fpu.ac.jp"
        i = i + 1
    Loop
End Sub
```

　この他、セルやワークシートの数を数える、関数を自作するなど一般のプログラミング言語と同様の多くのことができる。

第7章 ピボットテーブル

Lesson 7-1　集計とピボットテーブル

学習目標
　集計の概念を理解し、集計機能をもつピボットテーブルを作成できる。

知識とスキル

集計とは	データを集めて度数や統計量を計算することを（単純）集計、複数の項目（属性やカテゴリー）に着目して集計することを**クロス集計**という。 　第5章の度数関数の学習では、成績データに区分を設けて度数分布を計算した（参照：Lesson5-4）。 　これに対して、ここでは身長と体重のように複数の項目の度数を同時に集計する（参照：下図）方法を学ぶ。

度数	体重(kg)				
身長(cm)	35-45	45-55	55-65	65-75	総計
145-149	1	3			4
150-154	2	15			17
155-159	3	51	9		63
160-164	3	32	16	4	55
165-169		4	9		13
170-174			1	3	4
総計	9	105	35	7	156

ピボットテーブル	Excel には簡単に集計ができるピボットテーブル機能がある。これを使うと、表中の複数の項目を抽出し、ドラッグ＆ドロップ操作だけでデータを様々な視点で集計できる。集計対象の表は、DB として扱われるので、ここでは、項目を**フィールド**とよぶ。

ピボットテーブルの作成	1.　DBの任意のセルをポイントしたのち、メニューの「挿入」タブをクリックし、「ピボットテーブル」ボタンを選択する。

ピボット テーブル の作成	2. 「ピボットテーブルの作成」画面で以下の項目を指定する。

2. 「ピボットテーブルの作成」画面で以下の項目を指定する。

- **テーブルまたは範囲の選択**：
DB の全範囲が参照されている
ことを確認する。1.で DB をポ
イントせずに作業を始めた場
合は、ここで範囲を指定する。

- **ピボットテーブル　レポート
を配置する場所の選択**：
「新規のワークシート」を選択
すると新しいシートの左上ぎ

りぎりにピボットテーブルが作成される。既存のワークシートを選
ぶ場合は、DB から 3 行または 3 列程度離れたセルを指定する。

3. 「**ピボットテーブル 1**」の枠が上で指定した場所に置かれ、シートの
右端に「**ピボットテーブルのフィールド**」が表示される。

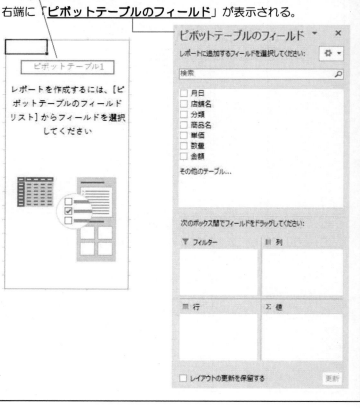

| フィールドの配置 | ピボットテーブルは、前ページ右下の 4 つのエリア、すなわち「**フィルター**」、「**列**」、「**行**」、「**Σ値**」から構成される。

集計したいフィールドを決め「**ピボットテーブルのフィールド**」にチェックを入れると、文字データのフィールドが「行」ボックスに、数値データのフィールドが「値」ボックスに、それぞれ入る。

「行」ボックスにあるフィールド「店舗名」を「フィルター」ボックスにドラッグするなど、フィールド名をボックス間でドラッグ＆ドロップして集計したいピボットテーブルを作成する。 | 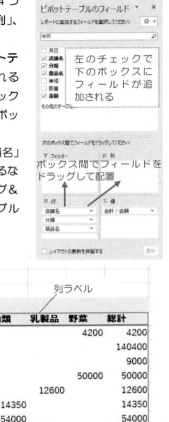 |

行ラベル、行ラベル（注記）

店舗名	(すべて)					
フィルター						列ラベル
合計 / 金額	列ラベル					
行ラベル	飲料	魚介類	肉類	乳製品	野菜	総計
キャベツ					4200	4200
コーヒー	140400					140400
さんま		9000				9000
たまねぎ					50000	50000
チーズ				12600		12600
牛肉	値		14350			14350
鶏肉			54000			54000
総計	140400	9000	68350	12600	54200	284550

例題 7-1

① 付録データのシート：「コンビニ」を L7.xlsx にコピーし、シート名を L7-1 に変更する。

② シート：L7-1 にピボットテーブルを作成する。フィールド「店舗名」、「分類」、「商品名」、「金額」をチェックしたのち、ボックス間でフィールドをドラッグして右のように各フィールドを配置する。

③ <u>知識とスキル</u> の「フィールドの配置」に示すピボットテーブルが作成されることを確認する。

Lesson 7-2　ピボットテーブルの基本操作

学習目標

ピボットテーブルの基本操作ができる。

知識とスキル

基本操作	作成したピボットテーブルの任意のセルをクリックし、続けてメニューバー中の「**ピボットテーブルツール**」の「分析」タブ[A]をクリックする。これと「**ピボットテーブルのフィールド**」を用いて、以下の①から⑪の操作を行う。	
①レコードの絞り込み・抽出・並べ替え	「レポートフィールド」、「行ラベル」、「列ラベル」の ▼ ボタンを押し、必要な値を選択して絞り込む。 　メニューには右のように、DB と同じ並べ替えや抽出（値フィルター）の機能もある。	
②フィールドの配置変更と削除	フィールドは、一度配置したのちも、別のエリアに移動できる。 　フィールドを削除するには、テーブルリストの上部にドラッグ＆ドロップすればよい。 　以上の操作は、各フィールド右端の ▼ をクリックして現れるメニューによってもできる。	
③フィールドの追加	各エリアに複数のフィールドを置くことができる。フィールドを追加するには、リストにあるフィールドを、その下の適切なボックスにドラッグする。値フィールドには、同じフィールドを複数配置し、④の「値フィールドの設定（B）」によって違った集計方法（平均や合計）を設定できる。	

A　「ピボットテーブルツール」の「分析」タブは Excel2010 の「オプション」タブに相当する。

④値フィール ドの設定	「値フィールドの設定」では、以下 の操作(A)〜(D)を行う。  「値」エリアにあるフィールドを選 択し、②のメニューで一番下の「フィ ールドの設定」をクリックして右図の 「値フィールドの設定」を表示させ る。同じことは、「ピボットテーブル ツール」の「分析」タブの「アクティ ブなフィールド」グループの「フィー ルド設定」ボタンによってもできる. **(A) 名前の指定:** 「名前の指定」でピボットテーブルの見出し名を変更できる。あるい は、ピボットテーブルのフィールドを直接ポイントしたのち数式バー のなかで変更してもよい。 **(B) 集計方法:** 「集計方法」タブを利用して集計の方法（「合計」、「データの個数」、 「最大値／最小値」、「平均」、「標準偏差」など）を指定する。 **(C) 計算の種類:** 「計算の種類」タブを利用すると、 「値」エリアに表示される集計結 果を「総計に対する比率」などに 変更できる。 **(D) 表示形式:** 「表示形式」ボタンを押すと、「セ ルの書式設定」画面が現れ、数値 の桁区切りなどを設定できる。こ の操作は、ピボットテーブル内のセルを直接右クリックし、メニュー の「セルの書式設定」画面を起動してもよい。
⑤グループ化	日別に集計された値を月別に集計し直すには、テー ブル内で日付の一つをポイントし、「ピボットテーブル ツール」の「分析」タブにある「グループの選択」ボ タンをクリックして設定する。解除ボタンもある。値 データが連続した数値のグループ化では、区間を指定 して、区間内の度数（データの個数）や平均を容易に 得ることができる。 

⑥データの更新	元データを変更したのち、「ピボットテーブルツール」の「分析」タブにある「更新」ボタンを押すと、ピボットテーブルやピボットグラフが再計算によって変更される。
⑦ピボットグラフ	ピボットテーブルを選択したのち、「分析」タブの「ツール」グループにある「ピボットグラフ」ボタンを押し、グラフの種類を指定すると、ピボットテーブルのあるシートにグラフが作成される。 
⑧フィールドリスト	「分析」タブの「表示」グループにある「フィールドリスト」ボタンを押すと、ワークシートの右端に表示される「ピボットテーブルのフィールド」の表示/非表示が切り替わる。 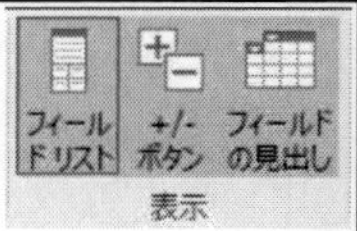
⑨+/-ボタン	右の月別のレコードの ⊟ボタンを押すとレコードがまるめられ ⊞ボタンに表示が変わる。逆に ⊞ボタンで開く。⑧の図の「+/-ボタン」によって、表示/非表示が切り替わる。 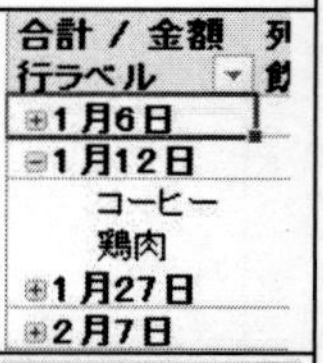
⑩フィールドの見出し	⑧の図の「フィールドの見出し」ボタンを押して「行ラベル」や「列ラベル」ボタンの表示/非表示を切り替える。非表示にすると、①の絞り込みなどの操作はできない。 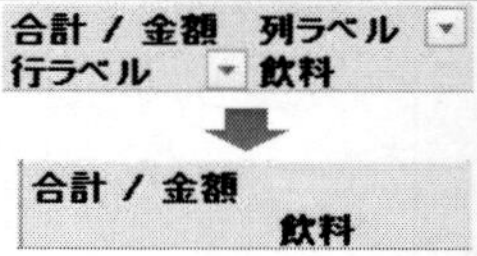 フィールドの見出し名を変更する場合は、セルをクリックして数式バー内で直接変更する。
⑪ピボットテーブルの選択・移動・削除	ピボットテーブル内のセルをクリックし、「分析」タブの「アクション」グループの「クリア」、「選択」、「ピボットテーブルの移動」ボタンを使う。全体の選択は、選択メニューの「ピボットテーブル全体」を選ぶ。移動は、テーブル内の1セルをクリックしたのち、移動ボタンを押し、移動先を指定する。削除は、「クリア」ボタンの「すべてクリア」を押す。ただし、右のテーブル枠が残る。これを完全に削除するには、右図の枠全体を選択した状態で、メニューの「ホーム」タブにある「編集」グループの「クリア」ボタンから「すべてクリア」を選ぶ。  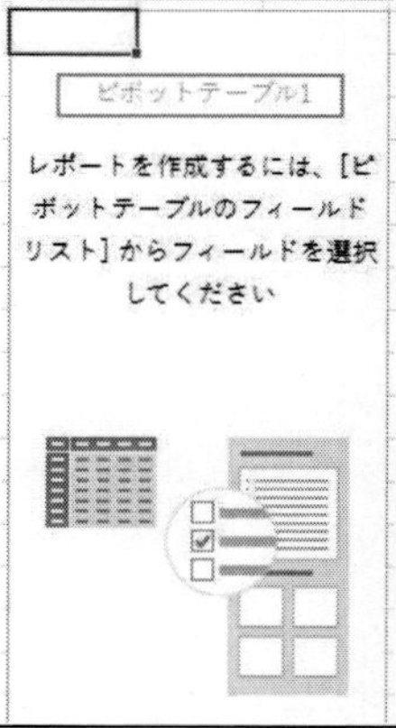

例題 7-2

① シート：L7-1 をコピーしてシート：L7-2 を作成する。

② 基本操作の①から⑪の操作を行いながら、その機能を確認する。

例題 7-3（ステップ 1）

① ブック L7.xlsx に付録データのシート：「体力測定」をコピーする。

② シート：L7-3 を新たに作成する。

③ シート：「体力測定」のデータ内の 1 セルを選択したのち、「ピボットテーブルの作成」
画面のレポート配置場所（既存のワークシート）でシート：L7-3 のセル B5 を指定する。

④ 行ラベルに「1 日の乳製品摂取状況」、列ラベルに「中学時代の運動」、値フィールドに骨密度をおく。また「値フィールドの設定」から集計方法を平均にする。表示形式を右のように変更する。

⑤ 行ラベル、列ラベル、値の各見出しを右のように変える。

平均骨密度	運動 ▾		
乳製品摂取 ▾	0	1	総計
0	89	92	91
1	87	94	92
2	89	98	95
3	94	100	98
4	81	114	92
総計	89	97	94

例題 7-3（ステップ 2）

① シート：L7-3 のセル G5 に右のピボットテーブルを作成する。

② 値フィールドに、骨密度に加えて、人数を集計する。このときのフィールドは、「番号」、「年齢」、「骨密度」…の何れでもよい。人数の集計方法は「データの個数」とする。

③ ラベル名を右のように変える。

乳製品摂取 ▾	平均骨密度	人数
0	91	39
1	92	38
2	95	45
3	98	29
4	92	6
総計	94	157

例題 7-3（ステップ 3）

① シート：L7-3 のセル K5 に右のピボットテーブルを作成する。

② レポートフィールドにダイエット経験、行ラベルに BMI、値フィールドに骨密度と体脂肪率をおく。

③ BMI のグループ化（5 刻み）と値フィールドの平均集計を行う。

④ ラベルを右の表のように変更する。

⑤ レポートフィールドの値によって結果がどう変わるかを調べる。

ダイエット経験	（すべて） ▾	
BMI ▾	平均骨密度	平均体脂肪率(%)
14-19	88	21.1
19-24	94	27.4
24-29	103	34.8
29-34	125	56.8
総計	94	26.8

第一章

章末問題

練習 7-1

付録データのシート：「気象」をコピー後、参照して次の処理をシート：E7-1 に行え。

① 行ラベルに観測地をおいて、各地の日射量の平均を比較せよ。

② 行ラベルに年、列ラベルに観測地をおき、累積（合計）降水量を比較せよ。

③ 「フィルター」ボックスに観測年を、「行」ボックスに Julian day （1 月 1 日を 1 とする数字）をおき、Julian day を 30 日刻みにして各グループの地温の平均、最大値、最小値を比較せよ。

④ 観測地別、観測年別に、風速の平均と母標準偏差を比較せよ。

練習 7-2

付録データのシート：「成績 2」をコピー後、参照して次の処理をシート：E7-2 に行え。

① 行ラベルに学部をおき、学部別の得点の平均と母標準偏差をピボット集計せよ。有効桁数は 3 とする。

② 学部別に得点のヒストグラムを描け。

ヒント 学部を「フィルター」ボックスにおき、得点を 5 点刻みにグループ化して人数を集計する。集計したデータの棒グラフを作成する。

練習 7-3

シート：「体力測定」を参照して、次の処理をシート：E7-3 に行え。

① 分析ツールを使って体脂肪率の基本統計量を求めよ。

② ピボットテーブルを使って体脂肪率の平均、最大値、最小値、標本標準偏差を集計せよ。

③ 体脂肪率に対する平均体重と平均身長をピボット集計せよ。体脂肪率の区分は 15 から始めて 2.5 刻みにする。

④ 1 日の乳製品摂取状況（0 から 4）に対する人数をピボット集計せよ。

⑤ 中学時代の運動の有無をフィールドにして、1 日の乳製品の摂取状況のそれぞれに対する骨密度の平均および人数を集計せよ。

⑥ 体脂肪率が 25 未満の人数を、ピボット集計とデータベース関数それぞれを使って求めよ。

⑦ 年齢が 20 で体脂肪率が 25 未満の人数をピボット集計とデータベース関数それぞれを使って求めよ。

⑧ 中学時代の運動が 1、ダイエット 0 の人の平均体重を、ピボット集計とデータベース関数それぞれを使って求めよ。

Lesson 8-1　　平均値の信頼限界

学習目標

　　本章では、第7章までに学習した Excel の基本操作の応用として、実験データの処理技術について学習する。実験値は誤差を含めて表す必要がある。実験値の表し方としてよく用いられる平均値の信頼限界を学ぶ。

知識とスキル

正規分布の特性と信頼限界	実際の測定結果（系統誤差が無いとした場合）は**正規分布**に従うことが多い。具体的には、母集団の平均（＝真値）をμ，標準偏差をσとすれば、測定値 x が与えられる頻度 y は次式に従うとされる。 $$y = \frac{\exp[-(x-\mu)^2/2\sigma^2]}{\sigma(2\pi)^{1/2}}$$ その計算曲線の例を下に示す。 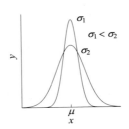 　まずは、真値に近い値ほど実験で得られる頻度が高く、σが大きいほどデータのばらつきが大きくなることを押さえよう。次に、正規分布の重要な特性として、σの値によらず測定値の 95%はμの$\pm1.96\sigma$以内に、99% は μ の $\pm2.58\sigma$以内にあることが挙げられる。

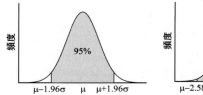
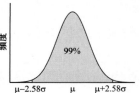

$\mu\pm1.96\sigma$および$\mu\pm2.58\sigma$はそれぞれ 95%および 99%**信頼限界**と呼ばれる。測定値はこうした形で表すことが望ましい。

平均値の 信頼限界	μおよびσは母集団、すなわち、実験回数が無限大の場合の平均および標準偏差であって、我々は通常限られた回数(n)しか実験できない。以下、こうした実際の、すなわち、n 回の実験で得られた平均および標準偏差をそれぞれ $\bar{x}$、および s と記すとする。関連して、測定値は**"平均値の"信頼限界**として表すことが望ましく、その 95%および 99%信頼限界は$\bar{x}\pm1.96\sigma/n^{1/2}$ および$\bar{x}\pm2.58\sigma/n^{1/2}$ で与えられる。次に、1.96σ および 2.58σの項は s から見積もるが、下表で与えられる t 値を用いる。すなわち、95%および 99%信頼限界は$\bar{x}\pm t_{95}s/n^{1/2}$ および$\bar{x}\pm t_{99}s/n^{1/2}$ と計算すればよい。

自由度	$t_{95\%}$	$t_{99\%}$
1	12.71	63.66
2	4.30	9.92
3	3.18	5.84
4	2.78	4.60
5	2.57	4.03
6	2.45	3.71
7	2.36	3.50
8	2.31	3.36
9	2.26	3.25
10	2.23	3.17
12	2.18	3.05
14	2.14	2.98
16	2.12	2.92
18	2.10	2.88
20	2.09	2.85
30	2.04	2.75
50	2.01	2.68
∞	1.96	2.58

Excel では 95%および 99%信頼限界を出力する関数として、**TINV( )**がある。この関数は 2 つの引数を指定するが、1 つ目は 95%信頼限界の場合 1−0.95=0.05 を、99%信頼限界の場合 1−0.99=0.01 を入力する。2 つ目は自由度であり、本節のように平均値の信頼限界を計算する場合には n−1 を入力する。例えば、自由度 5 における 95%信頼限界の t 値は下のように出力させる。

	f_x =TINV(0.05,5) 　なお、Excel のバージョンによっては、$t_{95}s/n^{1/2}$ および $t_{99}s/n^{1/2}$ を直接計算する関数：CONFIDENCE.T( )が用意されているものもあるが、ここでは割愛する。
誤差	$t_{95}s/n^{1/2}$ および $t_{99}s/n^{1/2}$ を本章では簡単に誤差と呼ぶとする。 ① この絶対値から**有効数字**が決定できる。例えば、次の例題において、求める平均値の 95%信頼限界はまず 1022±62.4... mg と計算できる。10 mg の桁から誤差が含まれることになり、有効数字は 3 桁と決定できる。よって、この答えは 1020±60 mg と丸めることが望ましい。 ② 信頼限界を求めることで、ある値と誤差範囲内で一致する・しないを論じることができる。例えば、理論値が 59.1 mV である物理量について、測定結果の平均値の 95%信頼限界として 62±5 mV を得たとする。59.1 mV はこの区間内にあるため、測定値と理論値は誤差範囲内で一致するなどと言える。

例題 8-1

★平均値の信頼限界

　ビタミン C が 1 本あたり 1000 mg の添加を謳う飲料がある。この飲料についてビタミン C を 5 回測定したところ、980, 1040, 1080, 960, 1050 mg の結果を得た。平均値の 95%および 99%信頼限界を求めよ。また、公称値と実験値との関係についてどのようなことが言えるか。

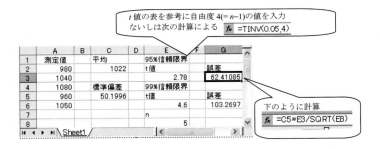

　よって、平均値の 95%および 99%信頼限界は 1022±62.4...および 1022±103.26 mg と計算できるが、有効数字を考慮して、それぞれ 1020±60 および 1000±100 mg と決定できる。

　また、公称値と実験値は誤差範囲内で一致すると言える。

第8章

Lesson 8-2　回帰分析

学習目標

第7章までで学んだスキルを利用して実験データの線形回帰分析を行うことができる。

知識とスキル

散布図の作成と線形回帰	2つの変数 X, Y で表されるデータ間の相関関係を調べるには、Lesson3-4 で学習した**散布図**を作成する。データ間に強い相関関係が認められ、Y を X で定量的に説明したい時は、**回帰モデル（回帰式）**を求めることができる。

散布図に**回帰直線**を表示させるには、プロットをクリックし、反転させる。右クリックで、「**近似曲線の追加**」を選

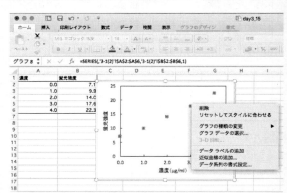

ぶ。線形回帰式を求めるには、回帰直線をクリックし、反転させる。右クリックで、「**近似曲線の書式設定**」を選ぶ。

「近似曲線の書式設定」画面が開いたら、「グラフに数式を表示する」チェックボックスにチェックを入れる。OK ボタンを押すと、散布図上に回帰式が表示される。

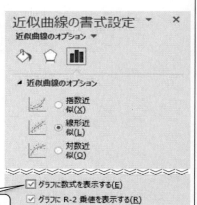

ここにチェックを入れる

統計関数を 用いた線形 回帰式の計算	グラフを作成しなくても、Lesson4 で学習した関数を利用すれば回帰式を求めることができる。線形回帰式を求めるためには、統計関数 **SLOPE( )** と **INTERCEPT( )** を利用する。
SLOPE( )	引数は（既知の y、既知の x）。点（x_i, y_i）から推定された線形回帰式が表す直線の傾きを与える。 　線形回帰式として直線 $y = a + bx$ が与えられるとき、この回帰直線の傾き b は次式で表される。 $$b = \frac{\sum(x - \bar{x})(y - \bar{y})}{\sum(x - \bar{x})^2}$$ 　ここで、$\bar{x}$ と $\bar{y}$ は標本平均を表す。
INTERCEPT( )	引数は（既知の y、既知の x）。点（x_i, y_i）から推定された線形回帰式が表す直線の切片を与える。 　回帰直線 a の切片は、次の数式で表される。 $$a = \bar{y} - b\bar{x}$$
分析ツールの 利用	Lesson5-3 で学習した**分析ツール**を使って回帰分析することもできる。「**データ分析**」ボタンを選択し、「データ分析」画面を起動する。分析ツールメニューから「**回帰分析**」を選択して OK ボタンを押す。 　「回帰分析」画面では、入力元で入力データ範囲を指定し、出力オプションにある必要な統計量の欄のチェックボックスにチェックを入れる。OK ボタンを押すと、新しいワークシートが作られ回帰分析結果が表示される。

分析ツール回帰分析　解析結果例

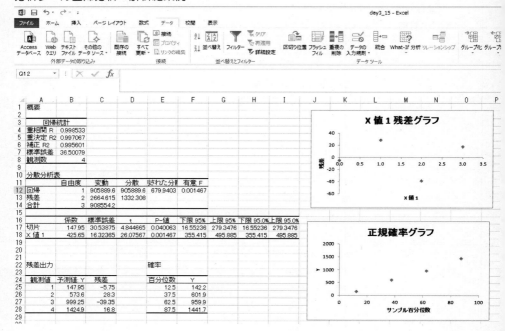

例題 8-2

★回帰直線と回帰式

① L8.xlsx という名前のブックを作成し、付録データのシート：「ビタミン B1 の定量」をコ
ピーして、新たにシート L8-2 を作成する。

② 表のデータをもとに、濃度　0 ～ 4 µg/ml のビタミン B1 と蛍光強度の値について散布図
を作成する。

③ グラフ上のプロットを選択し、近似曲線の追加により回帰直線とその回帰式を求める。

④ 表のデータを用いて、関数：SLOPE( )と関数：INTERCEPT( )を用いて回帰式を求め、③
で求めた回帰式と一致することを確かめる。

Lesson 8-3　回帰分析結果の評価

学習目標

回帰分析の結果に基づいた実験データの評価の基礎について学ぶ。

知識とスキル

回帰分析 結果の評価	回帰式により予測値が得られても、現実の関係を見落とし回帰式が実際とかけ離れていては役に立たない。そこで、回帰式の評価が重要となる。ここではその評価方法として、1) 寄与率（決定係数）、2) 散布図による残差の分布の検討、3) 各水準で繰り返し測定を行った場合の各水準での残差の大きさの検討について述べる。
相関係数	2変数間の関係において、一方が増えると他方がそれに従って増える、あるいは減るといった直線的関係がどの程度あるかを示す指標が**ピアソンの積率相関係数 r** である。 $$r = \frac{\sum(x-\bar{x})(y-\bar{y})}{\sqrt{\sum(x-\bar{x})^2 \sum(y-\bar{y})^2}}$$ ここで、$\bar{x}$ と $\bar{y}$ は標本平均を表す。相関係数が正の場合「正の相関関係（正相関）がある」、負の場合「負の相関関係（負相関）がある」、相関係数が0に近いとき「無相関である」という。
PEARSON( )	引数は（配列1, 配列2）。ピアソンの積率相関係数 r を返す。引数には、数値か名前、数値配列、または数値を含む範囲を参照するセル参照を指定する。
寄与率 （決定係数）	r の2乗値 r^2 は**寄与率**（または**決定係数**）と呼ばれ、目的変数 y のうち、仮定している回帰モデル（説明変数 x の回帰）によって説明できる割合を表す($0 \leqq r^2 \leqq 1$)。得られた回帰モデルが実験データとどの程度一致するかの指標となる。
RSQ( )	引数は（既知の y, 既知の x）。点 (x_i, y_i) から推定された線形回帰式が表す回帰直線を対象に、寄与率を返す。
散布図に よる残差の 大きさと 分布の検討	まず、回帰式を用いて目的変数 y の予測値 y' を求め、実測した y との**残差** e $(= y - y')$ を計算する。次に、残差 e と説明変数 x との散布図および残差 e と予測値 y' との散布図を作成する。それぞれの2変数について無相関であることを確かめる。なんらかの相関が認められる場合は、系統的な誤差の存在や回帰モデルの仮定の誤りなどがないか検討する。

散布図による残差の大きさと分布の検討	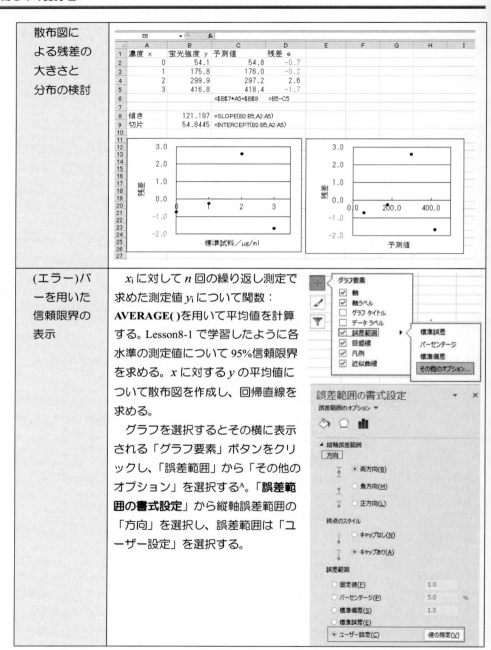

(エラー)バーを用いた信頼限界の表示

x_i に対して n 回の繰り返し測定で求めた測定値 y_i について関数：**AVERAGE( )**を用いて平均値を計算する。Lesson8-1 で学習したように各水準の測定値について 95%信頼限界を求める。x に対する y の平均値について散布図を作成し、回帰直線を求める。

　グラフを選択するとその横に表示される「グラフ要素」ボタンをクリックし、「誤差範囲」から「その他のオプション」を選択する[A]。「**誤差範囲の書式設定**」から縦軸誤差範囲の「方向」を選択し、誤差範囲は「ユーザー設定」を選択する。

[A] Excel2010 では、「デザイン」タブの「グラフ要素を追加」をクリックする。プルダウンメニューから「誤差範囲」の「その他の誤差範囲オプション」を選択

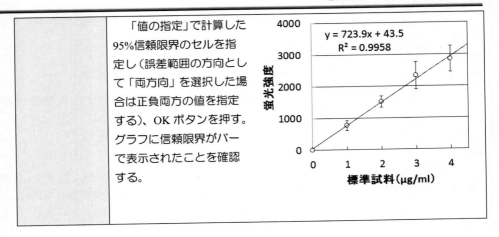

「値の指定」で計算した95%信頼限界のセルを指定し(誤差範囲の方向として「両方向」を選択した場合は正負両方の値を指定する)、OKボタンを押す。グラフに信頼限界がバーで表示されたことを確認する。

例題 8-3

★寄与率

① 例題 8-2 で用いたシート L8-2 で作成した散布図を用い、「近似曲線の書式設定」を使って寄与率を表示させる。

② 表のデータを用いて、関数:RSQ( )を用いて寄与率を求め、①で求めた寄与率と一致することを確かめる。

例題 8-4

★繰り返し測定のバラツキ

① ブック L8.xlsx に、付録データのシート:「ビタミン B1 の定量（繰り返し測定）」をコピーして、新たにシート L8-4 を作成する。

② 表のデータをもとに、ビタミン B1 濃度 0 ～ 4 µg/ml それぞれについて蛍光強度の平均値を求め、ビタミン B1 濃度に対する蛍光強度について散布図を作成する。

③ グラフ上のプロットを選択し、近似曲線の追加により回帰直線、その回帰式、寄与率を求める。

④ ビタミン B1 各濃度の蛍光強度について 95%信頼限界を計算し、②のグラフにエラーバーとして表示する。

練習 8-1

　滴定を 5 回くり返し測定した結果、5.44, 5.37, 5.42, 5.36, 5.46 ml を得たとする。平均値の 95％信頼限界を求めよ。

練習 8-2

　ある試料中のナトリウムイオン濃度を 6 回測定したところ、102, 97, 99, 98, 101, 106 mM の結果を得たとする。ナトリウムイオン濃度の平均値の 95％および 99％信頼限界を求めよ。

練習 8-3

　ある蛍光物質について検量線を作製するため、その濃度を変えて蛍光強度を測定した。同じ条件で 5 回繰り返し測定した結果を下の表に示す。

濃度 (μg/ml)	蛍光強度				
	1 回目	2 回目	3 回目	4 回目	5 回目
0.0	6	6	23	17	20
1.0	1784	2286	2104	2075	2116
2.0	3716	4483	4442	4500	4184
3.0	6363	6950	6654	6872	6492
4.0	8275	8940	9268	9031	8810

　次の指示に従い、この表のデータについて線形回帰分析を行え。

① 　5 回の蛍光強度平均値を求め、散布図を作成し、回帰式を求めよ。

② 　①で求めた回帰式について寄与率を求めよ。また、残差を計算し、残差と濃度の散布図および残差と蛍光強度予測値との散布図を作成し、偏りがないか調べよ。

③ 　各濃度の測定について 95％信頼限界の値を計算し、その値を上記散布図上に示せ。

④ 　5 回の測定を全て独立な測定と見なし（すなわち、25 回の測定として扱い）、散布図を作成せよ。回帰式および寄与率を求め、①②の結果と比較せよ。

練習 8-4

体温を維持するために必要なエネルギーは、体の表面積に比例するといわれる。そこで、様々な性別、様々な年齢の 10 名について体表面積と基礎代謝（＝呼吸や体温調節など生命を維持するために消費されるエネルギー量）を調べところ、次の表の結果を得た。

	体表面積 （m²）	基礎代謝値 (kcal/日)
18 歳　男子	1.71	1590
20 歳　女子	1.37	1135
22 歳　男子	1.98	1779
25 歳　男子	1.80	1632
33 歳　女子	1.70	1317
35 歳　女子	1.47	1184
42 歳　女子	1.55	1208
44 歳　男子	1.69	1493
51 歳　女子	1.50	1174
55 歳　男子	1.58	1349

この表のデータについて線形回帰分析を行う。

① 全データを用いて、散布図を作成し、回帰式と寄与率を求めよ。

② ①で求めた回帰式を用いて残差を計算し、残差と体表面積の散布図および残差と基礎代謝値の予測値との散布図を作成し、偏りがないか調べよ。

③ 男子と女子とに分けて①②の解析を行い、比較せよ。年齢による基礎代謝の変動が無視できると仮定した場合、男子と女子の基礎代謝について違いはあるといえるか。

索引

索
引

著者紹介

編著者

菊沢正裕（きくさわ・まさひろ）
　福井県立大学名誉教授

徳野淳子（とくの・じゅんこ）
　福井県立大学准教授（学術教養センター）

著者

日弁隆雄（ひび・たかお）
　福井県立大学教授（生物資源学部）

片野　肇（かたの・はじめ）
　福井県立大学教授（生物資源学部）

以下のサイトからデータをダウンロードして利用してください

http://www.sankeisha.com/excelenshu/exdl.html

解凍パスワード

sankei2020

基礎から実践まで、例題で学ぶ

教本　Excel演習　第3版　© 菊沢正裕・徳野淳子・日弁隆雄・片野　肇　2020

2012年9月28日　　第1版発行	[本書の無断転載を禁ず]
2020年3月20日　　第3版発行	

編著者　　菊 沢 正 裕 ・ 徳 野 淳 子

定価（本体価格1,000円＋税）

発行所　　株式会社　三 恵 社
〒462-0056　愛知県名古屋市北区中丸町2-24-1
TEL 052（915）5211
FAX 052（915）5019
URL http://www.sankeisha.com

ISBN978-4-86693-218-7 C3004 ¥1000E